DE ZOMER VAN APOLLO

HENDRICKJE SPOOR

De zomer van Apollo

Roman

2003
DE BEZIGE BIJ
AMSTERDAM

Voor Alain d'Alès
en met veel dank voor de toewijding
en inspiratie van Hans Douqué

HOOFDSTUK 1

In de zomer had de tuin van Oude Stein door de weel-
derige plantengroei een bijna subtropisch aanzien,
maar zodra de bladeren van de bomen vielen werd het
landgoed grauw en grimmig. De priëlen werden een
dorre woestenij van staketsels en takken met het ze-
ventiende-eeuwse huis als strenge blokkendoos in
het midden. Paden liepen onder water, het grasveld
vergeelde, verlaten kraaiennesten hingen onheilspellend in de toppen van de populieren. Vanaf eind okto-
ber verloor het landgoed van de familie Boyer zijn
idyllische karakter en tot de volgende lente maakte
het tegen wil en dank deel uit van de moderne wereld.
De oranjegele lichten van de voorbijsnellende auto's
weerkaatsten tegen de muur van de schuur, de twee
wit blinkende hoogbouwtorens van Nieuwe Stein
waren zichtbaar vanuit het keukenraam en het geronk van de motorfietsen bij de tennisclub weerklonk
in de gang. Het was nu onmogelijk de werkelijkheid
te ontkennen: Oude Stein was een vervallen barak
tussen twee verkeersaders, een aandoenlijk memento
van vergane glorie, een door Rijkswaterstaat over het

hoofd geziene anomalie. Bij de eerstvolgende uitbreiding van de snelweg, zei Julia Boyer tegen zichzelf, is
het afgelopen met onze heerlijkheid. Over een aantal
jaren denderen er vrachtauto's op de plaats waar nu
de rozenstruiken staan. Het beeld liet haar onbewogen; honderdvijftig jaar familietraditie zei haar niets.
Alles stroomt en niets blijft, had haar vader ten slotte
altijd voorgehouden wanneer het over Oude Stein
ging. Zonder morren had hij destijds zijn vierhonderd hectaren voor een schijntje aan de gemeente
Nieuwe Stein verkocht en op de inauguratie van de
hoogbouwtorens had hij hartelijk de hand van de
burgemeester geschud.

'Ik ben te oud om te veranderen,' zei Papa haar vlak
voor zijn dood. 'Maar dat is nog geen reden om te eisen dat de rest van de wereld zo moet blijven als ik
toevallig gewend ben.'

Dat ze de laatste bewoner was, en de laatste telg van
de familie, bedrukte haar geen seconde. Integendeel,
het gaf haar de vrijheid te doen en laten wat ze wilde
zonder zich te hoeven bekommeren om afgebladder-
de luiken, lekkende wastafels of het verzakte bordes.
Het verleden interesseerde haar niet en de toekomst
stond vast. De stapel onopengemaakte brieven van
het ministerie en van de gemeente Nieuwe Stein op
de console lieten geen enkele twijfel bestaan: het was
afgelopen met Oude Stein. Het landgoed was als een
ter dood veroordeelde die tot nu toe om een of andere
onverklaarbare reden door de beul van de moderni-

teit was gespaard. De afgelopen jaren waren winst geweest, onverwacht overschot. Dus waarom zich beklagen over de ongemakken van het najaar? Het lawaai, de lampen, het uitzicht. Iedere dag was gestolen tijd, zou de laatste kunnen zijn. Ze zou zich niet verzetten, ze zou geduldig wachten op wat komen ging. Bovendien daagde het desolate karakter van de winter op Oude Stein Julia uit. Het was een test voor haar fantasie. Niet alleen aan het marmer dat ze voor haar werk gebruikte, ook aan haar omgeving – aan voorwerpen en sensaties – moest ze een andere gestalte geven. De werkelijkheid transformeren. Zien wat ze wilde zien, horen wat ze wilde horen. Het gebrom van de auto's werd de branding van de zee, de weerkaatsende koplampen geheimzinnige signalen van een andere planeet, de ramen van de hoogbouwtorens helle spiegels in het heelal. Ze kwam zo min mogelijk buiten. Het grootste deel van de tijd bracht ze beeldhouwend door in haar atelier. De vijf Siamese katten geduldig wachtend op de drempel bij de deur, de luiken gesloten.

Het huis paste Julia als een oude jas. Net zo versleten als de kasjmier sjaal van haar moeder, net zo comfortabel als de met beverbont gevoerde cape van Papa. Ze kende er ieder naadje van. Om haar weg door de lange donkere gangen te vinden had ze geen licht nodig. Ze liep zonder te kijken, zonder op te letten. Het huis omringde haar, gaf mee als water in een zwembad.

In haar atelier deed ze wel het licht aan; vier spot-lampen die het platform in het midden van het vertrek fel verlichtten. Ze werkte met Carrarisch marmer, net zo verblindend wit als de lampen. Licht en steen leken een en dezelfde kleurloze massa. Wanneer ze aan een nieuw beeld begon, kneedde ze eerst in gedachten de ruimte totdat het luchtledige haar denkbeeldige beitel begon te weerstaan. Dan pas wist ze wat te doen, dan kon het marmer vorm gegeven worden. Een menselijke gestalte was dat meestal. Mannelijk, noch vrouwelijk. Androgyne wezens waren de beelden die ze de laatste jaren gemaakt had. Julia werkte uren aan een stuk, totdat ze zo moe was dat ze nauwelijks nog kon staan. Door uitputting overmand sloot ze dan het beeld in haar armen. Haar vingers streelden de scherpe hoeken, haar droge lippen beroerden het koele oppervlak.

Sinds haar vaders dood, afgelopen zomer vijf jaar geleden, woonde Julia alleen op Oude Stein. Daarvoor had ze, afhankelijk van de uren dat ze lesgaf op de open teken- en schilderacademie, heen en weer gereisd tussen haar appartement in Utrecht en het familiehuis. Haar vader kon slecht tegen alleen zijn, hij had gezelschap – publiek – nodig en klaagde steen en been wanneer zijn dochter er niet was. Het huis was koud, de katten hoestten, de gootsteen lekte, de suiker was op, verzuchtte hij aan de telefoon. Kon ze diezelfde avond nog langskomen?

Toen Julia Johan leerde kennen, hield ze haar verhouding voor haar vader verborgen en veinsde ze dat voorjaar een onmogelijk lesrooster te hebben. Ze kon voortaan alleen op woensdag en in het weekeinde komen.

'Je werkt te hard,' zei Papa verbeten. 'Je ziet er slecht uit. En dat allemaal om kunstzinnige huisvrouwen bezig te houden. Als je nu nog zou beeldhouwen maar daar hoor ik je nooit meer over. En dat is tenslotte je vak.'

Ja, ze zag er waarschijnlijk slecht uit. Ze sliep nauwelijks. Zodra Johan na zijn werk thuiskwam in de verbouwde fabriekshal waar hij woonde, hield de wereld op te bestaan. De avond en nacht brachten ze in tijdloosheid door. Wakkerende kaarsen in een lege ruimte. De betonnen vloer bezaaid met kledingstukken. Een intimiteit zo natuurlijk dat je niet meer weet waar je eigen lichaam ophoudt. Eindeloze liefkozingen in het duister totdat het ochtendlicht mat door de glas-in-loodruiten naar binnen viel. En vervolgens de vervreemding in de morgen wanneer Johan vloekend de tandpasta van zijn revers boende en vervolgens haastig vertrok naar kantoor.

Johan was grafisch ontwerper en dat was ongeveer het enige wat ze van hem wist. Een paar jaar jonger dan zij. Een litteken op zijn rechter onderarm. Een voorkeur voor witte wijn. Maar van haar wist hij wellicht nog minder, zei ze tegen zichzelf terwijl ze verdoofd en met verkrampte nek haar eerste kop koffie in de Graaf Floris aan de Oude Gracht dronk. Ze had hem niet eens haar achternaam verteld. Tegen de tijd dat ze op de academie kwam was ze vaak zo slaperig dat ze met de grootste moeite haar verhaal over perspectief en techniek wist te vervolgen.

Toen haar vader zijn eerste beroerte kreeg was haar cursus net afgelopen en Julia besloot bij hem te gaan wonen. Johan reageerde nauwelijks toen ze hem van haar beslissing op de hoogte stelde. 'Is je vader erg ziek?' vroeg hij afwezig.

'Hij is oud,' antwoordde ze. 'En kan niet meer voor zichzelf zorgen.'

'Wil je dat ik je kom opzoeken? Waar woont hij?'

'Later deze zomer misschien, ik bel wel.'

Johan knikte en schoot zijn jasje aan. Zonder haar nog aan te kijken duwde hij de ijzeren voordeur open. Even later hoorde ze zijn auto wegrijden.

Tot haar verbazing was Papa een voorbeeldige patiënt. Het was alsof die hersenbloeding zijn persoonlijkheid veranderd had. Opeens was hij makkelijk en opgewekt, zelfs toen hij steeds zieker werd en genoodzaakt was een zuurstofapparaat naast zich gereed te houden. De katten werden niet meer uitgescholden, Julia werd niet berispt wanneer ze de verkeerde thee gezet had. Geen geklaag, geen gezeur. Sinds de dood van haar moeder had ze hem niet zo meegemaakt. Hij was nieuwsgierig naar haar werk, stelde vragen, vertelde anekdotes over Rodin en Camille Claudel. En dat alles op een zachte gelaten toon die ze niet van hem kende. Een kind, dacht ze. Een jongetje met het brein van een geleerde is hij geworden.

Julia had de orangerie naast het huis als atelier ingericht en terwijl ze werkte lag haar vader naast haar op de canapé. Lezend of in zichzelf pratend. Hij reciteerde gedichten, imiteerde conversaties, hield college over de principes van de alchemie, waar hij zijn hele leven in geïnteresseerd was geweest. Mercurius en sulfur. Transmutatie en purificatie. Maar Julia luisterde zelden naar wat hij zei; ze werkte en rookte, en haar vaders melodieuze stem werd één met het doffe geluid van haar hamer en beitel.

Papa stierf op een warme nazomerdag in september. Julia merkte het pas toen ze na uren werken even pauzeerde. Ze liet haar gereedschap zakken, stak een sigaret op en keek uit het openstaande raam naar de in schaduw gehulde tuin. De zon was net onder gegaan; geen vogel zong, geen insect bromde. Totale stilte. Het is vast al na zevenen, dacht ze. Ze inhaleerde diep en voelde plotseling een vreemde aanwezigheid in het vertrek. Of was het juist een afwezigheid? Iets was veranderd. Een gevoel van zowel opwinding als angst maakte zich van haar meester. Ze hoefde zich niet om te draaien om te weten dat haar vader er niet meer was.

Het nummer van Johan had die hele zomer naast de telefoon op het tafeltje in de gang gelegen. Soms voelde ze 's nachts zijn adem in haar hals. Zo nu en dan werd ze wakker met het beeld van zijn blik aan de hare gekluisterd. Het laken werd liefkozing, haar hand substituut. Hun verhouding had zich door de ziekte van haar vader onherroepelijk geankerd in de tijd en was nu geschiedenis geworden. Herinnering aan een fysieke passie. Zwijgzame uitwisseling, een woordeloos verlangen een en dezelfde persoon te worden. Wat kon daar nog aan toegevoegd worden? En zelfs wanneer er nog iets was wat ze niet gekend hadden, hoe de afgelopen vier maanden te overbruggen? Nee, ze belde hem niet.

Haar vader lag opgebaard in de kapel van het crematorium in Nieuwe Stein en voor het eerst in haar leven bracht Julia de nacht alleen op Oude Stein door. Ze zat achter haar moeders bureautje in de zitkamer met de ramen wijdopen en luisterde naar het kraken van de planken vloeren, de katten in de gang, de wind, het zuchten van de oude verwarmingsketel, een auto op de snelweg. En net voordat het licht werd de eerste tonen van een merel in het struikgewas. Die nacht nam het huis stilletjes bezit van haar, nestelde zich om haar schouders, spon een onzichtbaar web rond haar gestalte, en toen ze in de morgen opstond om koffie te zetten, wist ze dat ze geen keus had: ze zou haar appartement en haar baan in Utrecht opgeven en verder op Oude Stein gaan wonen.

Wanneer ze zich later dit moment herinnerde moest ze altijd denken aan de verhalen over plotselinge en mysterieuze bekeringen die haar vader zo graag vertelde. Over de filosoof Blaise Pascal bijvoorbeeld, die tijdens een nacht een visioen kreeg dat zijn leven radicaal veranderde. Of over de bijzonder mooie en levenslustige zangeres Véronique die van de ene dag op de andere haar gitaar wegdeed en zich in een karmelietessenklooster opsloot. Julia's besluit was van dezelfde orde – een intuïtief, haast mystiek, besef van wat haar te doen stond. Zich bekeren. Zich wenden naar haar oorsprong en liefdevolle getuige zijn van de ondergang van het familiebezit. Gelaten wachten op de volgende uitbreiding van het Utrechtse wegennet en zo ten volle het motto van haar vader leven. Alles stroomt.

De eerste paar maanden na de dood van haar vader leefde Julia in een roes. Met een nerveuze energie die haar er van weerhield langer dan vier uur per nacht te slapen, organiseerde ze haar leven op Oude Stein. Het huis moest blijven zoals het was. Niets werd verplaatst, niets veranderd. Alleen het atelier richtte ze opnieuw in. Haar bezittingen sloeg ze op in een van de schuren en ze besloot te leven met wat er voorhanden was. Ze zou de oude paardrijbroeken van haar moeder en de truien van haar vader dragen, ze zou thee in plaats van koffie drinken en luisteren naar de 78-toerenopnamen van de werken van Bach op de oude grammofoon in de bibliotheek. Pas toen het winter werd en de ijzige tocht in de gang langs haar enkels scheerde, begon ze zich te realiseren wat haar besluit precies inhield. Geen comfort. Een kluizenaarsbestaan. Maar toen was het al te laat.

Julia leefde veel zuiniger dan nodig en kocht niets behalve levensmiddelen en materiaal voor haar werk. Dit was een uitzondering in een familie die erom bekend gestaan had nogal gemakkelijk geld uit te geven. Generaties lang had de familie Boyer onbezonnen van het leven genoten. Ze hadden gereisd, verzameld, gekocht, gecomsumeerd zonder zich ergens zorgen over te maken. Papa sloeg nooit zijn dagelijkse Taylor's en zijn Partagas naast het haardvuur over. En zelfs Julia's moeder, protestant van huis uit, had haar kleine luxueuze grillen. Zo bestelde ze haar marrons glacés, foie gras en thee bij Fauchon, liet haar potpourri speciaal maken door een kleine fabriek in de buurt van Florence en kleedde zich in de beste Engelse merken. Maar Julia's prioriteiten lagen elders; luxe verveelde haar, te veel comfort gaf haar een gevoel van leegte en lamlendigheid. Ze ontdekte de charme van een bijna monastieke regelmaat. Iedere dag hetzelfde, geen wijzigingen, geen toevoegingen. Werken, met de katten in de gang spelen, in haar vaders kunstboeken bladeren en zo nu en dan een kleine wandeling maken door de tuin. Ze kwam nooit op het idee een van Papa's grand cru's open te trekken, en sinds ze op Oude Stein woonde had ze niet één keer het ingelegde lakdoosje met haar moeders juwelen geopend.

De enige twee mensen die ze zag waren de steenhouwer en de kruidenier, desalniettemin was Julia verre van eenzaam. Eenzaamheid werd al snel net als haar ervaring van tijd: niet bestaand. Beide werden overschaduwd door de passie waarmee ze zich aan het beeldhouwen wijdde, al haar energie richtte zich op haar kunst. Zo leefde ze voor haar gevoel alleen tijdens de uren die ze in haar atelier doorbracht; de rest van de dag of nacht was onbelangrijk. En de liefde? Miste ze de liefde niet? Nee, het kneden en strelen van de kleurloze ruimte totdat haar vingers greep kregen op de ruwe materie en vervolgens een nieuwe vorm gestalte konden geven, was een liefdesdans, zei ze tegen zichzelf. Een voortdurende dialoog tussen het mannelijke en vrouwelijke. Wat wilde ze nog meer?

Dat jaar werd het zo vroeg winter dat Oude Stein begin december al net zo grauw en grimmig was als gewoonlijk in februari. Op bijna alle muren op de begane grond tekenden zich vochtplekken af, de tocht deed de ramen klapperen, de wind gierde door de schoorsteen. Julia vergrendelde vroeger dan anders de deuren in het huis en sliep op de canapé in haar atelier.

Op een ochtend werd ze wakker en hoewel de luiken

gesloten waren, wist ze onmiddellijk dat het die nacht gesneeuwd had. Geen geluid. Niets. Geen wind. Geen auto's. Geen treinen. Ze sprong op en opende de luiken. Zover ze kon kijken, zover als de flatgebouwen van Nieuwe Stein, was alles spierwit. Sereen. Levenloos. En opeens voelde ze zich onprettig. Angstig. Onrustig. Wat een onzin, zei ze tegen zichzelf. De sneeuw zou smelten, de winter zou voorbijgaan. Binnen een paar maanden was het lente. De tuin zou weer tot leven komen, Nieuwe Stein en de tennisclub zouden verdwijnen achter de bladeren en takken van de kastanjebomen. Maar ze bleef zich vervelend voelen. Alsof ze ontwaakt was in een haar onbekende wereld. Alsof ze zich voor het eerst weer bewust werd van tijd en ruimte. Ze zag zichzelf voor het raam staan: een donkere bleke vrouw uit een schilderij van Pyke Koch. Realistisch en onwerkelijk tegelijkertijd. Met grote verschrikte ogen de leegte in starend. Zoekend naar betekenis, naar een geruststellende stem, naar een teken van leven. Even wilde ze om hulp roepen, maar ze realiseerde zich onmiddellijk dat er niemand was om haar bij te staan. Geen levende ziel. Alleen vijf hongerige Siamese katten op de drempel van de gang. En een beeld. Een sierlijk marmeren beeld in het midden van de kamer. Mannelijk noch vrouwelijk. Geduldig wachtend totdat ze haar dagelijkse minnespel zou hervatten.

Voor het eerst in maanden dacht ze aan Johan, aan de leegte van de fabriekshal waar hij woonde. In gedachten inventariseerde ze zijn schaarse bezittingen. Een futon zonder kussens. Twee Mies van der Rohestoelen. Een rek met kleren. Een stereotoren. Een glazen tafel. Een keukenblok zonder fornuis. Verder niets. Geen foto's, geen boeken, geen snuisterijen. Kale muren, kale vloeren.

Iedere centimeter van zijn lichaam had ze onderzocht, gestreeld, bemind, maar wie hij was en waar hij vandaan kwam wist ze niet. Ze hadden in elkaars ogen gestaard, ze hadden zonder enige schaamte en met volle overgave de liefde bedreven, maar altijd zonder een woord te zeggen, zonder iets uit te spreken. En toch kon ze hun verhouding niet afdoen als een van de vluchtige, voornamelijk seksuele relaties die ze daarvoor had gekend. Seks en de gebruikelijke beleefdheden, – 'ik heb je gemist', 'ik vind je geweldig', 'de hele dag moest ik aan je denken' – die daarbij horen. Dit was iets anders geweest. Een gevoel van herkenning, van geborgenheid, maar niet op het niveau van 'hield jij ook niet van schoolmelk?' of 'is Tosca ook jouw lievelingsopera?' Een herkenning die dieper ging dan feiten, voorkeuren, herinneringen. Een onuitgesproken verwantschap die hun liefdesspel tot ceremonie, tot ritueel transformeerde.

Had ze daaraan moeten vasthouden, vroeg ze zich af. Het begon opnieuw zachtjes te sneeuwen. Geruisloos reden de auto's over de snelweg, een van de katten rende met haastige onwennige sprongen over het besneeuwde grasveld naar het kattenluik. Julia deed het raam dicht en stookte de kachel op. 'Ach, niets blijft,' zei ze hardop. En even was het alsof ze de stem van haar vader hoorde antwoorden: 'Nee, zo makkelijk is het niet, liefje', op dezelfde vermanende toon als waarop hij vroeger over haar schouder heen haar wiskundehuiswerk corrigeerde.

Later op die dag voelde ze Papa's aanwezigheid in het vertrek. Alsof hij nog steeds op de canapé lag, alsof hij nooit was weggeweest. Ze draaide zich om; er was niemand. Maar toen ze verder wilde werken voelde ze opnieuw de onbestemde angst van die ochtend. Een sensatie van onbehagen, van gejaagdheid. Ze legde haar gereedschap weg en zocht in gedachten verzonken naar haar sigaretten en aansteker.

'Transformatie,' hoorde ze haar vader zeggen.

'Wat?' vroeg ze zonder om te kijken.

'De wereld is altijd in beweging,' zei Papa. '"Alles stroomt, niets blijft," schreef Heraclitus.'

Julia zweeg. Zo vertrouwd klonken zijn woorden dat ze zich nauwelijks over zijn plotselinge aanwezigheid verbaasde. Ze warmde zich aan het vuur en keek naar buiten. Een eekhoorn trippelde over het besneeuwde pad, rookpluimen stegen op uit de hoogbouwtorens. Ze maakte haar sigaret uit en beklom het platform. Papa's stem vervolgde nu op ongeduldige toon: 'Het gaat erom een dynamisch evenwicht te vinden, Julia. Een evenwicht in beweging. Begrijp je me?'

Begrijp je me, herhaalde ze in gedachten. Typisch Papa, alsof hij haar al bij voorbaat bekritiseerde, alsof hij vond dat ze onmiddellijk zou moeten doorzien wat hij bedoelde. Wat moest ze hem vaak teleurgesteld hebben! Vooral toen ze niet meer echt luisterde en nauwelijks moeite deed hem tegemoet te komen.

'Nee Papa, ik begrijp het niet,' antwoordde ze ten slotte zacht en pakte haar gereedschap op. Hoe lang geleden was het dat ze dat tegen hem gezegd had? Bij het maken van haar wiskundehuiswerk? Of was ze toen al te trots geweest om te laten merken dat zijn vliegensvlugge berekeningen en uitleg de sommen alleen maar onbegrijpelijker maakten?

Haar vader schoot in de lach. 'Je bent lui geworden.'

'Lui? Nee, ik ben niet lui.' Voor het eerst draaide Julia zich om. Op de canapé lagen twee van de katten. Languit met gestrekte lichamen op de geruite plaid waaronder haar vader altijd had gelegen.

'Je wilt niet meer over dingen nadenken,' zei Papa met een zucht.

'Onzin!'

'Je wilt niet verder.'

'En waarom zou ik?'

'Wat is het leven anders dan jezelf steeds beter leren kennen en aan de hand van die kennis veranderen?'

'Ik ken mezelf.'

'Niemand kent zichzelf.'

Julia haalde haar schouders op en wendde zich tot haar beeld. 'Wanneer toch niemand zichzelf kent, wat heeft het dan voor zin?' mompelde ze na een tijd-je.

'Omdat je anders stilstaat en versteent. Zoals je beelden in de schuur. Zoals dat kale witte landschap dat je vanochtend bewonderde. Dood. Levenloos.'

'Je vindt dat ik stilsta?'

'In de alchemie...' begon haar vader. Julia maakte een ongeduldig gebaar met haar hand. '...waarvoor je je ten onrechte nooit hebt willen interesseren,' vervolgde hij, 'staat het idee van transformatie, of mutatie eigenlijk, centraal.'

'O, je wilt nog altijd dat ik lood in goud transformeer?' lachte ze.

'Ik had het over de alchemie als innerlijk proces, als ontwikkeling.'

Julia zuchtte. 'Dat is allemaal niets voor mij. We hebben het er al zo vaak over gehad. Ik kan helemaal niets met je ideeën over het terugvinden van het spirituele goud in de mens. Daar ben ik te nuchter voor. Net als Mama.'

'Omdat je niet luistert, liefje. Omdat je nooit geluisterd hebt.' Zijn stem klonk treurig opeens. Zonder enig verwijt, zonder enig ongeduld deze keer.

'Papa, hoe kan ik...' riep Julia uit, maar ze slikte haar woorden halverwege in. Natuurlijk was het niet haar vader die tegen haar sprak. Ze herinnerde zich alleen de dingen die hij in het verleden gezegd had. Al die fragmenten van dialogen, gedichten, verhalen. Al die woorden waarvoor ze zich doof had gehouden. En waarnaar ze nog steeds niet wilde luisteren. Voor het eerst in de ruim vijf jaar dat ze alleen op Oude Stein woonde voelde ze zich zo eenzaam dat ze haar tranen niet langer bedwingen kon.

Toen Julia haar beeld voltooid had en met ongeduld begon uit te zien naar de levering van een nieuw blok marmer, belde de steenhouwer om te zeggen dat de Italiaanse douanebeambten staakten. Geen Italiaans marmer zou voorlopig verkrijgbaar zijn.

'Ze zijn nog erger dan de Fransen,' zei hij. 'Zo'n staking kan weken duren en bovendien is de Mont-Blanctunnel na die brand nog altijd niet hersteld.' Het enige wat hij te bieden had was zandsteen.

'Zandsteen?' herhaalde Julia. Ze hoorde hem malicieus grinniken, maar nadat ze wat beleefdheden hadden uitgewisseld begon hij over een stuk onverkoopbaar marmer dat hij nog in de garage had staan.

'Het is geen Carrara,' zei hij. 'Ik geloof zelfs dat het helemaal niet Italiaans is. De duivel mag weten waar het vandaan komt. Mijn vader heeft het ergens op de kop getikt. Hij heeft het ook nooit aan iemand kunnen slijten. Voor een kunstenaar is het niets. En alleen een Amerikaanse popster zou het in zijn badkamer willen. Ik heb...'

Julia viel hem vol ongeduld in de rede. Het was goed, ze nam het blok ongezien en kon hij het alsjeblieft vandaag nog leveren?

Ze wachtte op de steenhouwer. IJsberend door het vertrek, Mama's kalende astrakan om haar schouders tegen de kou. De katten zaten zo dicht bij de kachel dat de weerschijn van de vlammen hun vacht een rossige gloed gaf. Julia luisterde naar het suizen van het natte hout, naar de wind in de kale populieren, naar het kraken van de plankenvloer. Ze dacht aan haar ouders, aan de tijd dat Oude Stein nog echt bewoond was. Gepoetste vloeren en de geur van fresia's in de gang. Mama achter haar secretaire in de zitkamer. Altijd brieven schrijvend. Aan verre familie. Aan jeugdvrienden. Een langgerekt krullend handschrift had haar moeder gehad. Een beetje aarzelend. Zoals ze in alles aarzelend geweest was. En in de verte de stem van Papa in zijn werkkamer. Met een van zijn bewonderaars. Monotoon en diep. Hij oreerde. Praatte in raadsels. Zo nu en dan barstte hij in lachen uit. Marie bereidde in de keuken het diner. Neuriede zachtjes 'Waar de blanke top der duinen' onder het schillen van de aardappelen. De bel ging. Een schel gerinkel door de marmeren vestibule. De stem van een van de pachters, van de jachtopziener, van een student. Of van een van de bridge-vrienden van haar moeder.

Een wereld die verloren was gegaan. Een wereld waaraan zij nooit deel had gehad. Er was eigenlijk geen plaats voor een kind in het leven van haar ouders geweest. Ze hadden genoeg aan zichzelf en leefden waarschijnlijk hetzelfde leven dat ze voor de geboorte van Julia hadden geleefd. Reizen, ontvangen, het landgoed onderhouden, lezen, brieven schrijven. Maar ook het huis leek de aanwezigheid van de kleine Julia te weerstaan. Ze durfde niet te rennen door de vestibule, ze durfde niet hard te praten of te lachen. Ze voelde zich een vreemd en onaangepast element in de dagelijkse routine van Oude Stein. Een vluchtige schim in de lange gangen. Niet thuis, niet beschermd. Even ongrijpbaar en zwevend als de zeepbellen die ze onder het toeziend oog van Marie in de keuken blies. Iets wat niet beklijft. Iets wat zich niet verankert. Pas na de dood van Papa had het huis zich voor haar geopend. Maar bewonen deed ze het niet; het huis bewoonde haar. Het tolereerde haar aanwezigheid, als was ze niet meer dan een tijdelijke bewaker van wat haar familie geconstrueerd had. Ze voegde niets toe. Ze wachtte en luisterde en vroeg zich steeds vaker af of ze wel leefde. Of ze überhaupt wel ooit geleefd had. Of ze wel deel uitmaakte van wat anderen 'de werkelijkheid' noemden.

'Daal neer in het binnenste van de aarde en door distillatie zul je de steen voor de werken vinden,' hoorde ze de stem van Papa declameren.

Visita Interiorem Terrae Rectificando Invenies Operae Lapidem. VITRIOL. Een spreuk die haar vader boven in de bibliotheek aan de muur had hangen. In gekalligrafeerde gouden letters met sierlijke krullen en gekleurde arabesken. Recht tegenover de tafel waaraan Julia voor het avondeten haar huiswerk maakte. Vragen naar de letters was een geliefde aflei-dingsmanoeuvre wanneer het stampen van de rijtjes *schwere Wörter* haar begon te vervelen. 'Papa, wat be-tekent dat nou ook al weer?' vroeg ze dan.

Hij antwoordde altijd hetzelfde: 'Daal neer in het binnenste van de aarde en door distillatie zul je de steen voor de werken vinden.' Op plechtige toon.

Vervolgens vroeg ze wat 'het binnenste van de aar-de' precies was en hoe die 'steen voor de werken' er dan uitzag, maar naar zijn antwoord luisterde ze niet echt. Ze rekte de tijd, keek aandachtig naar de pendu-le op de schoorsteen. Vijf voor zeven. Over een paar minuten zou Marie de gong voor het diner luiden. Al pratend over stenen en ruwe materie en de diepste kern van je wezen – dingen waar ze niets van begreep – ging Papa haar voor op de trap. Beneden in de gang werden ze opgewacht door haar moeder. Haar lees-bril nog op haar neus. Met een formele glimlach. Nooit warm, nooit uitgelaten.

'En hebben jullie hard gewerkt?'

Zonder iets te zeggen liep Julia nog snel even naar de keuken om te zien wat die avond het toetje was.

Ze trok de jas van haar moeder over haar schouders en wreef in haar koude handen. 'En door distillatie zul je de steen voor de werken vinden,' herhaalde ze zachtjes.

'VITRIOL,' klonk de stem van Papa achter haar. 'Weet je nog?'

Julia haalde haar schouders op. 'Ja, maar ik heb nooit begrepen wat je ermee bedoelde.'

'Dat is de paradox van de alchemie, en van zoveel vormen van spirituele kennis. Om te doorgronden waarover het gaat, wordt verondersteld dat je de materie eigenlijk al begrepen hebt.'

'Onmogelijk dus,' antwoordde Julia geërgerd.

'Ja, maar je kunt dingen ook intuïtief begrijpen, zoals een dier onmiddellijk gevaar of geborgenheid herkent en daar vervolgens naar handelt.'

'Dat gaat dus vanzelf,' mompelde ze. 'Daar hoef je niets voor te doen.'

'Je moet het moment willen herkennen,' zei haar vader zacht.

Julia kwam overeind en porde vol ongeduld de kachel op. Binnen een uur had de steenhouwer toch gezegd? Het was al bijna donker. Misschien kon hij de weg niet vinden. Of stond hij in een file? Ze zette de waterketel op het vuur en bleef geleund tegen het aanrecht staan. Het moment, herhaalde ze. Maar welk moment?

Nee, het was zeker geen Italiaans marmer, dat zag ze onmiddellijk. Ze draaide om het platform en inspecteerde het stuk steen aandachtig. Was het wel marmer? Het leek meer op oranjeroze albast. Of op een hoogwaardig synthetisch materiaal. Maar het voelde goed. Stevig en soepel tegelijkertijd. Ze liet haar handen over het ruwe oppervlak glijden en de sensatie die ze kreeg was zo hevig, erotisch zelfs, dat ze een zachte kreet slaakte. De steenhouwer, die voor de kachel zijn thee zat te drinken, draaide zich naar haar om.

'Grappig spul, hè?' zei hij met een knipoog. De katten draaiden opgewonden om hem heen, sprongen zijn knieën op en af, luid miauwend, hun lange slanke staarten in de lucht.

Het is oké,' antwoordde Julia kortaf en pakte haar chequeboek van tafel. 'Het is niet wat ik gewend ben, maar ik kan er wel wat mee.'

Ze schaamde zich voor haar opwinding, voor de rode blossen die opeens haar wangen kleurden. Hij moest weg. Zo snel mogelijk. De deur uit. Zodat ze alleen kon zijn. De luiken gesloten, het licht gedempt. En dan opnieuw die sensatie voelen. Het marmer strelen, haar ontblote bovenlichaam tegen het koele oppervlak drukken. Hoe lang was het geleden dat ze dat gevoeld had? Lust. De behoefte zich over te geven. Alleen lichaam zijn. Zichzelf vergeten.

Een beeld beginnen was voor Julia zowel een genoegen als een kwelling. Ze droomde, maakte schetsen, zag overal nieuwe vormen, maar tegelijkertijd werd ze geplaagd door de angst een keuze te maken. Ze wist dat zodra ze met de slijpmachine het blok steen te lijf ging, al die vrijheid van keuze onherroepelijk verloren zou gaan. Iedere scherf die ze wegnam beperkte haar mogelijkheden en was bepalend voor het eindresultaat. Ze zou onderdeel van het creatieve proces worden en het overzicht verliezen. In de loop van de jaren heen had ze geleerd geduld te hebben, niets te forceren. Ze wachtte, zoals ze op de steenhouwer gewacht had, zoals ze op de bulldozers wachtte – afwezig, gelaten. Als iemand die slaapwandelt. Totdat ze op een ochtend haar slijpmachine zou installeren en zonder aarzelen het blok steen te lijf ging.

'In het spirituele leven is geen plaats voor individuele experimenten, ze brengen te veel schade teweeg.'

Julia zat achter haar tekentafel en keek niet om.

'Luister je?' vroeg Papa na een tijdje.

'Ja, maar ik zou bij god niet weten wat dat met mij te maken heeft,' antwoordde ze. 'Alle vormen van kunst zijn individuele experimenten. Wat anders?' Ze stond op en liep om het platform heen. Onverkoopbaar, had de steenhouwer het blok steen genoemd. Zelfs een popster zou het niet in zijn badkamer willen hebben.

'Denk je dat werkelijk?' klonk haar vaders stem. 'Maar wat een oninteressant beroep heb je dan gekozen! Als kunst niets meer is dan een individueel experiment, kun je eigenlijk net zo goed taarten bakken.' Ze hoorde aan de toon waarop hij sprak dat hij niet serieus was, dat hij haar uitdaagde.

'Ja, het is een ambacht,' zei ze en streelde onderwijl met haar vingers voorzichtig over het ruwe oppervlak. 'Zoals timmerman. Of bakker, zoals je wilt.'

'Een ambacht en een spirituele bezigheid tegelijkertijd, zou ik eerder zeggen. Zoals in het oude Egypte, waar kunst en kennis onlosmakelijk met elkaar verbonden waren. De Egyptische beeldhouwer, of "degene die doet leven," zoals ze hem noemden, maakte geen beelden om te behagen, maar om de regels van Maât te openbaren. Het doel van de kunst was het onuitsprekelijke uit te spreken, de eeuwigheid te fixeren. Beelden waren medium, ontvanger en uitdrager van de goddelijke kracht.' Papa oreerde. Julia glimlachte om de bevlogenheid waarmee hij sprak. Net als vroeger. Ze stak een sigaret op en vroeg: 'En wie was die Maât?'

'Maât is iets en niet iemand. Maât is waarheid, gerechtigheid, precisie; het totaal van alle regels dat ervoor zorgt dat de kosmische orde intact blijft. Het is iets wat niet aangeboren is, maar wat je kunt leren.'

'En omdat beelden een uiting van Maât zijn, kunnen ze geen individueel experiment genoemd worden?'

'Het citaat is van Burckhardt en gaat eigenlijk over de alchemie, maar ja, waarom niet.'

'En jij meent dat mijn beeld medium, ontvanger en uitdrager van een of andere goddelijke kracht zou moeten zijn?' Ze begon te lachen, blies de rook onder het praten de lucht in.

'Het is het proberen waard. Zelfs wanneer het onzin zou zijn, wordt door zo'n verheven ambitie het creatieve proces boeiender. Boeiender dan het bakken van een appeltaart of het domweg fabriceren van een houten stoel, in ieder geval...'

Op een nacht werd Julia gewekt door een geluid. Misschien de wind, zei ze tegen zichzelf. Een uil in het bos. Of een dichtslaande deur op zolder. Ze luisterde maar hoorde niets meer. Toen ze ten slotte haar ogen opende en een zwak schijnsel op het plafond zag, dacht ze dat ze haar bureaulamp aan de andere kant van de kamer had laten branden. Maar na een tijdje drong het tot haar door dat het onmogelijk het licht van een elektrische lamp kon zijn. Het leek meer op wakkerend kaarslicht, op de gloed van een vuur, op het eerste licht van de opkomende zon. Het marmer? Ze sloeg de dekens van zich af en sprong overeind. Onmogelijk. Het kon het marmer niet zijn. Of wel? En toen zag ze de vijf katten voor het platform zitten, keurig op een rijtje naast elkaar. Zonder te bewegen, alert, met half gesloten ogen. Alsof ze iets hoorden, alsof ook zij op iets wachtten.

HOOFDSTUK 2

Er was een man in de tuin. Iemand van de gemeente, dacht Julia geërgerd. Nee, niet het type. Maar het was ook niet een van de bejaarde wandelaars die zogenaamd het bord met 'Verboden toegang' niet hadden gezien; dit was iemand die de weg op het landgoed leek te kennen. Hij had een tijdje rondgeneusd bij de ingestorte kassen, waarin vroeger de geraniums overwinterden, hij had met zijn zakmes een paar dode takken van een rozenstruik gesneden, en nu stond hij bij de sneeuwklokjes in gedachten verzonken zijn pijp te roken. Julia observeerde hem vanachter het keukenraam. Een man van dezelfde leeftijd als zij, midden veertig, gekleed in een beige corduroy pak. De leren aktetas die hij onder zijn arm droeg suggereerde toch dat hij op een of andere officiële missie was. Misschien was hij van bosbeheer. Het beste was hem ongestoord zijn gang te laten gaan. Dan zou hij zo weer weg zijn. Ze trok de rolgordijnen dicht en ging naar haar atelier. Maar toen ze een uur later uit het raam keek, zag ze dat de man er nog steeds was. Hij zat op een van de banken onder de lindebomen in de zon en at op zijn gemak een boterham. Zonder haast, zonder ook maar de geringste gêne te tonen over zijn aanwezigheid in de tuin van een ander. Na de boterham at hij een mandarijntje en stak vervolgens weer zijn pijp aan. Hij strekte zijn benen en blies de rook tevreden de lucht in. Hoe was het mogelijk dat die vent niet merkte dat het huis bewoond was? Zag hij haar auto niet staan? De post die uit de brievenbus stak? Ze trok de voordeur open en liep met vastberaden pas over het pad naar de lindebomen.

'Kan ik iets voor u doen?' vroeg ze.

De man glimlachte. Zonder op te staan, zonder zijn pijp uit de mond te nemen.

'Bent u verdwaald?'

Weer die glimlach, vertederd haast.

'Het Park Nieuwe Stein is aan de andere kant van het hek,' zei Julia, die nu niet langer haar ergenis verborg. 'Dit is privé-terrein.'

'Je herkent me niet, hè?' zei hij en kwam overeind. 'Je weet niet meer wie ik ben...'

Eh nee,' antwoordde ze terwijl ze zich afvroeg wie hij in godsnaam kon zijn. Iemand van de academie misschien? Een klasgenoot op de middelbare school? Een vroegere minnaar? Nee, belachelijk, zo'n slecht geheugen had ze ook weer niet. Wie dan? Ze hield niet van verrassingen. En nog minder van onaangekondigd bezoek.

'Ik ben Marius Kruger, Julia,' zei de man en begon zijn pijp uit te kloppen.

Zijn naam zei haar niets. Ze vond de familiariteit waarmee hij haar tegemoet trad onaangenaam. Zijn manier van praten was zelfingenomen, impertinent haast. 'En wat brengt u hier, meneer Kruger?' vroeg ze bits en sloeg haar armen over elkaar.

Haar vraag leek hem te verbazen. Hij aarzelde even en antwoordde ten slotte: 'Jij. Het verleden. Beelden waarmee ik 's ochtends wakker word. Wij samen bij de lammetjes van mijn oom Ger bijvoorbeeld. Jij in een geruit blauw jurkje in een ligstoel op het terras. Je vader en ik in de bibliotheek op de eerste verdieping.'

Het neefje van een van de pachters, dacht Julia. Ger Thijssen, een zwijgzame man met lichte ogen. Dat blauwe jurkje had ze gehad, de lammetjes van Thijssen kon ze zich daarentegen niet herinneren.

'Naarmate ik ouder word denk ik steeds vaker aan vroeger,' vervolgde hij. 'Alsof mijn leven een overhoop gegooide legpuzzel is waarin ik orde moet brengen. Beginnen bij het begin. Bij jou. Oude Stein. Je vader. Dingen die bepalend zijn geweest.'

Julia wist niet goed wat te antwoorden. Wat wilde hij precies? Waartoe deze ontboezemingen? Wilde hij soms het huis bezoeken? Foto's nemen?

'Het is goed je weer te zien, Julia,' zei hij en begon zijn jas dicht te knopen. Voordat ze iets had kunnen terugzeggen voegde hij er iets zachter aan toe: 'De rozen moeten gesnoeid gewroden en het pad ziet er niet uit met al die dorre bladeren.'

'Daar heb ik geen tijd voor.' Ze vroeg zich af of ze

hem misschien een kop thee moest aanbieden, maar besloot dat hij al meer dan genoeg gebruik had gemaakt van haar gastvrijheid.

Marius knikte. 'Je hebt het vast druk. Beeldhouw je nog?'

'Ja, natuurlijk.'

'Misschien wil je me eens je beelden laten zien. Ik ben een groot kunstliefhebber.'

'Misschien,' zei ze.

Hij knikte nogmaals, een beetje verlegen nu. 'Nu ja, het was in ieder geval fijn om met je te praten. Dag, tot ziens.' Hij draaide zich nogal abrupt om en liep het pad af, zijn aktetas onder zijn arm, zijn pijp tussen zijn tanden. Julia wachtte totdat hij achter het hek verdwenen was en liep snel terug naar de voordeur.

Had haar vader niet eens verteld over een 'aardige jongeman' die hem hielp bij het ordenen van zijn bibliotheek? Was dat Marius Kruger geweest? Dat was eeuwen geleden. Toen er nog bezoek kwam, toen Mama nog leefde. Vrienden van Papa, zijn jeugdige bewonderaars, nichten en neven. Ze zaten luid pratend in de zitkamer voor de haard, dronken port en snoepten van haar moeders marrons glacés. Oude Stein werd gezien als een van de laatste bastions van vooroorlogse charme in een land dat zich in hoog tempo ontwikkelde en moderniseerde. De snelweg was in die tijd een provinciale weg met nauwelijks verkeer, en Nieuwe Stein een vergeten dorpje met een twintigtal huizen en een dichtgespijkerde kapel. Het was om die provincialiteit te ontvluchten dat Julia had besloten in Florence te gaan studeren.

Niet lang daarna deed Julia op een ochtend de lichten in het atelier aan, beklom het platform en begon te werken. Zonder na te denken, als door een blinde drift gedreven, tikte ze met haar hamer erop los. Ze had gekozen. Maar onbewust. Net als haar besluit om op Oude Stein te gaan wonen. Een inval, zonder reflectie. Ze kon het niet onder woorden brengen. Het was een stil besef, dat geen uitleg nodig had. Haar handen werden gestuurd door een nog verborgen idee, door louter gevoel. Zonder dat ze er enige fysieke of intellectuele moeite voor hoefde te doen. Een kracht net zo diep en levenslustig als het ontluikende voorjaar had zich meester van haar gemaakt. Vogels zongen, narcissen en tulpen bloeiden, takken liepen uit, en dezelfde soort primitieve energie leek door haar aderen te stromen. Ja, ze wist wat te doen. En het stuk marmer leek het ook te weten, want voor het eerst weerstond het haar niet. Het liet haar begaan, was als was in haar handen, balsem op haar beitel. Scherf na scherf, laag na laag nam ze weg. Net zo lang totdat het steen zo kwetsbaar werd dat het zich aan haar – weliswaar nog verholen – wil zou onderwerpen. Dan pas zouden het beeld en haar eigen idee vorm kunnen krijgen.

Ze werd onderbroken door haar vaders stem. 'En zo komen de brandende sulfer van de passie, het zout der wijsheid en de alerte mercurische ziel tezamen en vormen een gouden wezen...' declameerde hij op vrolijke toon.

'Hè nee, Papa! Geen alchemische recepten meer,' riep Julia uit.

De stem viel onmiddellijk stil. Maar toen ze weer verder wilde werken merkte ze opeens dat ze uitgeput was. Ze legde haar gereedschap weg en kwam van het platform af om de luiken te vergrendelen. De dag was ongemerkt aan haar voorbijgegaan. Het was donker, boven de weilanden in de richting van Nieuwe Stein hing dikke mist. Vanavond geen geheimzinnige signalen, geen glinsterende spiegels; zelfs de koplampen van de auto's op de snelweg waren nauwelijks zichtbaar. Het landgoed is afgesneden van de buitenwereld, dacht ze. Weer dat beeld van die vrouw in het schilderij van Pyke Koch. Waar had ze dat toch gezien? Ik ben afgesneden van de buitenwereld, ging het door haar heen. Om getuige te zijn van het moment dat de beul van de moderniteit zich ons herinnert en het huis tegen de vlakte gooit? Als experiment met de eenzaamheid? Hoeveel jaren bleven die boeddhistische monnikken ook al weer ingemetseld mediteren in een grot met alleen één klein spleetje licht? Weer zo'n verhaal van Papa... Julia stak een sigaret op en warmde zich aan de kachel.

'Wanneer ik me niet vergis,' hoorde ze haar vader

na een tijdje zeggen, 'vond ik die zin in een kort ver- haal van Aldous Huxley. Eeuwen geleden. Ik moet een jaar of zestien, zeventien geweest zijn. Een van die opmerkelijke toevalligheden die je zo nu en dan over- komen, je weet wel wat ik bedoel: je neust afwezig in een boek, zonder doel, en opeens valt je oog op een passage die alleen voor jou geschreven lijkt te zijn.'

'Ik lees geen boeken, ik kijk alleen plaatjes,' zei ze zonder op te kijken.

'Een reproductie kan hetzelfde effect hebben. Of een ontmoeting, een geluid, de manier waarop het licht door de bomen valt. Je voelt je als door de blik- sem getroffen en je weet dat je hierna nooit meer de- zelfde zal zijn. Je leven is diepgaand veranderd.'

'Ik heb je toch gezegd dat ik niet wil veranderen.'

'Wat je wilt is niet belangrijk; verandering is onver- mijdelijk. Transformatie is de wet van het leven.'

Julia haalde haar schouders op en pakte een van de katten van de grond. Maar hij had natuurlijk gelijk. Zo ging het. Zo was het haar vergaan toen ze voor het eerst de Maria Magdalena van Donatello zag. Of het ochtendgloren boven Florence. Als aan de grond ge- nageld sta je, en vanaf dat moment zie je de wereld door andere ogen. 'Was dat zo bij de alchemie voor jou?' vroeg ze.

'Ja,' antwoordde Papa. 'Door die zin uit het verhaal van Huxley...'

'Vreemde zin om zo door geraakt te worden,' mom- pelde Julia. 'Niet erg poëtisch die alchemie...'

'Alchemie is een metafoor en bovendien hoeft zo'n gevoel van herkenning niet per se door schoonheid ontketend te worden. Het kan door van alles zijn. Een wandeling door een sloppenwijk in Zuid-Amerika, de aanblik van een ontgonnen landbouwterrein. Voor iedereen is het waarschijnlijk een andere toevalligheid die zo'n effect heeft. Ik herkende in ieder geval iets in die zin; veel later begreep ik pas waarom.'

Toen ze in gedachten verzonken de poes bleef aaien, vervolgde hij: 'Het idee van de maakbaarheid van de mens... De noodzaak jezelf voortdurend te ontwikkelen, te transformeren...'

'Niets nieuws, dat zeiden de Boeddisten ook al.'

'Niets is nieuw, Julia, en het feit dat dit idee in alle grote culturen en religies terugkomt, is des te interessanter.'

'Waar leidt al dat transformeren en ontwikkelen anders toe dan tot de dood?' zei ze met een zucht.

'Onvermijdelijk tot de dood,' lachte haar vader. 'Maar het maakt het leven veel minder saai.'

'Mijn leven is niet saai.'

'Je bent niet gelukkig,' zei hij zacht.

'Jawel,' antwoordde ze. 'Ik ben gewoon moe.'

'Waarom ben je eigenlijk op Oude Stein gaan wonen?'

Julia dacht even na en haalde ten slotte haar schouders op.

'Als oplossing voor het probleem van het leven?' vroeg Papa.

'Welk probleem van het leven?'

'Inhoud geven, richting kiezen, je aan iemand committeren...'

'Ik zag het eerder als uitdaging,' antwoordde Julia en deed haar schort uit.

'Om wat te bereiken?'

'Een bevrediging die ik daarvoor slechts als vluchtig moment kende. Een grotere intensiteit. Ik weet niet...'

'En dat alleen? Met vijf verwende siamezen in een vervallen barak?'

Ze hoorde hem lachen, een beetje spottend, maar vertrouwd, goedmoedig.

'Ik heb mijn werk toch?' zei ze.

'Hmm,' antwoordde hij niet erg overtuigd. 'Wat wil je dan in je werk?'

'Perfectie.'

'Een gouden wezen?'

'Zo zou je het eventueel kunnen noemen.'

'Maar daar heb je de combinatie van passie, wijsheid en een alerte ziel voor nodig, liefje!'

Toen Julia een paar dagen later werd gewekt door het geluid van iemand die de oprijlaan harkte – zoals in de goede oude tijd toen de tuinman nog leefde – wist ze onmiddellijk dat het Marius was. Ze bleef even in bed liggen luisteren naar de regelmatige slagen op het grind en vroeg zich af wat te doen. Hem wegsturen? Hem geld aanbieden voor zijn werkzaamheden?

Maar al dat gehark diende nergens toe; morgen zou het afgelopen kunnen zijn met Oude Stein.

Bovendien wilde ze geen vreemden op het terrein. Ze wilde vrij zijn, geen conversatie hoeven te maken, geen kopjes koffie in de keuken. Tegelijkertijd vond ze dat ze Marius eigenlijk de toegang niet kon ontzeggen. De familie Thijssen was al vanaf het begin van de vorige eeuw bij hen geweest. Papa had bijna iedere zondag met Ger Thijssen gejaagd en had grote moeite gedaan om hem na zijn pensioen in een comfortabele bejaardenflat in Utrecht onder te brengen. Hij was deel van het landgoed. Zoals de familie Jansen en de tuinman Kees dat waren geweest.

'Respect en dienstbaarheid, daar gaat het om in je relatie met anderen,' was een van Papa's geliefde uitspraken. 'Niet omdat je dankbaarheid verlangt, of genegenheid, maar voornamelijk voor jezelf. Uit eer.' Eer. Julia had het idee nooit begrepen. Ze moest meteen denken aan hysterische negentiende eeuwse heren die in de ochtendmist duelleerden in het Bois de Boulogne. Het had iets doms, vond ze. Moest ze Marius uit eer zijn gang laten gaan? Nee. Uit respect dan? Uit dienstbaarheid? Om hem de kans te geven orde te brengen in 'de overhoop gegooide legpuzzel,' zoals hij zijn leven genoemd had? Maar wat had zij daar in godsnaam mee te maken?

Iets later bespiedde ze hem van achter een van de luiken van haar atelier. Hij was nu bezig in de buurt van het hek en harkte met grote slagen de bladeren op een hoop. Na een tijdje stopte hij even om zijn jasje uit te doen. Geen lelijke vent, vond ze. Hij zag er een stuk beter uit dan de oude Kees van vroeger. Marius vouwde zorgvuldig het jasje op, legde het naast zijn aktetas op het bankje en vervolgde zijn werk zonder ook maar één blik te werpen in de richting van het huis. Hij leek in beslag genomen door wat hij deed maar het was duidelijk dat hij voelde dat Julia naar hem keek, of naar hem zou kunnen kijken. Hij bewoog te zelfbewust, te rechtop; de manier waarop hij zijn hark vasthield was zelfs ietwat geaffecteerd. Marius Kruger doet evident zijn best bij zijn publiek in de smaak te vallen, dacht Julia. En wellicht lukte hem dat ook. Ze bleef in ieder geval nogal lang voor het raam staan en observeerde met plezier zijn krachtige armslagen, zijn blozende gezicht en zijn welgevormde rug.

Aan het eind van de middag ging ze naar buiten.

'De katten vinden me niet aardig,' was het eerste wat hij zei toen hij haar zag. Hij keek met een verwijtende glimlach op van de rozenstruik. 'Ik heb van alles geprobeerd om hun vertrouwen te winnen, maar ze wilden niets met me te maken hebben.'

'Ze zijn niet gewend aan andere mensen. Het zal wel even duren voordat ze weer te voorschijn komen,' antwoordde Julia.

'Geduld is niet bepaald mijn sterkste kant.' Hij begon driftig de struik te snoeien. 'Wanneer ik iets wil, dan wil ik het meteen.'

'De dichter Rilke zei dat belangrijke dingen alleen geboren worden uit datgene wat tijd kost en groeien moet.'

'Vast,' zei Marius en snoeide verder. 'Ik eindig dan ook meestal met helemaal niets.'

Julia glimlachte. 'Wanneer iets echt de moeite waard is, heb je vaak meer geduld om erop te wachten. Zo is het in ieder geval met mij.'

'Dan ben je wijzer dan ik. Dat was je trouwens vroeger al,' zei hij zonder op te kijken.

Ze ging zitten op een van de geroeste tuinstoelen, haalde haar sigaretten te voorschijn en observeerde onder het roken zijn manier van bewegen. Ze schetste hem met haar blik, lijn voor lijn, vlug arcerend, corrigerend. Zijn gespannen rug, zijn iets te tengere armen, het haar in zijn nek. Ik heb te lang niet naar levend model getekend, dacht ze en liet haar ogen over zijn uitstekende schouderbladen glijden. Ik ben een studeerkamer-kunstenaar aan het worden.

Na een tijdje legde Marius de tuinschaar op het tafeltje en veegde zijn handen aan zijn broek af. 'Hoe lang geleden is meneer Boyer overleden?' vroeg hij.

'Vijfenhalf jaar,' antwoordde Julia.

'En jij woont sindsdien alleen in het huis?'

'Ja.'

'Een moedig besluit van je.'

Julia maakte haar sigaret uit en schoot in de lach.

'Met moed had mijn beslissing destijds niets te maken; ik wilde voor de uitbreiding van het wegennet of van Nieuwe Stein, nog een paar jaar hier doorbrengen, meer niet.'

'Volgens mijn vriend Joep, die in het gemeentebestuur zit, is dat een kwestie van maanden, maar dat weet je natuurlijk...'

Ze zweeg en haalde ten slotte haar schouders op. '"Alles stroomt en niets blijft," zei Papa altijd.'

Marius pakte een van de tuinstoelen en ging naast haar zitten. Een geur van transpiratie, pijptabak en lavendel. Julia wendde haar hoofd af.

'Ik denk vaak aan je vader,' zei hij. 'Ik heb hem destijds geholpen met het ordenen van zijn bibliotheek.'

'Ik studeerde toen in Florence,' zei ze.

'Ja, maar je was thuis tijdens de vakanties. Een geweldig jaar was dat... Dankzij meneer Boyer ging er een nieuwe wereld voor me open,' vervolgde Marius. 'Ik zat net voor mijn eindexamen en had geen idee wat ik wilde in het leven. Je vader leende me boeken, praatte met me, zei dat ik moest gaan studeren, professor moest worden. Volgens hem was alles mogelijk als je maar je best deed. Ik herinner me dat hij me eens vertelde dat de wiskundige Gauss gezegd had: "Wanneer anderen zich net zo intensief en diep op wiskundige problemen zouden concentreren als ik, dan zouden ze mijn ontdekkingen doen."'

'Typisch Papa,' mompelde Julia.

'Doorzettingsvermogen en vastbeslotenheid, daar

ging het volgens meneer Boyer om. Maar ik vrees dat ik die eigenschappen net zo min heb als geduld. Ik werd met moeite een doodgewone frik op een scholengemeenschap.'

'In welk vak?'

'Het ondankbaarste van alle, maatschappijleer.'

'Waar?' vroeg ze.

'In Castricum. Maar ik ben inmiddels opgehouden,' zei hij en gaf haar een vuurtje. 'Lesgeven was niets voor mij. Na tien jaar werd ik ziek. Nu ja, niet echt ziek, maar overwerkt. Je weet hoe gemakkelijk het was in die tijd om je te laten afkeuren. Eerst woonde ik in Den Haag, maar een halfjaar geleden ben ik terugverhuisd naar het Utrechtse.'

'En nu?'

'Niets,' zei hij hard. 'Ik tennis met mijn vriend Joep, lees, maak aquarellen.'

Zonder antwoord te geven observeerde ze hoe hij zijn pijp aanstak en de rook in kringetjes de lucht in blies. Het was duidelijk dat zijn werkeloosheid hem in verlegenheid bracht. Ze wilde van onderwerp veranderen, maar voordat ze iets had kunnen zeggen, zei hij: 'Ik heb vanuit al mijn ramen in de hoogbouwtoren uitzicht op Oude Stein. Als er weinig verkeer is zie ik het licht branden in je atelier. Ik zit dan ook op de zestiende verdieping ...'

'Woon je in de Nestor?' viel ze hem in de rede.

'Nee, in de nog lelijker toren ernaast.' Hij keerde zich naar haar toe, iets te dichtbij, vond ze, en vervolgde: 'Ik troost me met de gedachte dat de grond vroeger bij het landgoed hoorde. Zo maak ik er toch nog een beetje deel van uit.'

Julia zweeg. Zijn patriottisme voor Oude Stein irriteerde haar. Hij was ten slotte slechts het neefje van Thijssen en was niet eens op het landgoed geboren. Het had iets onechts en misplaatst. 'Slechte smaak,' zou Mama hebben gezegd. 'Impertinent.' Opeens vond ze dat ze te lang gepraat hadden, te intiem. Ze was te toeschietelijk geweest; ze wilde dat hij wegging.

Marius moet de verandering in haar stemming hebben gemerkt, want hij stond op en liep naar de bank om zijn jasje en zijn tas te pakken. 'Zo, het is tijd om maar weer eens op te stappen en jou aan je werk te laten,' zei hij.

'Bedankt voor het harken van de oprijlaan en voor het snoeien van de rozen,' antwoordde Julia en stond ook op.

Hij draaide zich naar haar om, heel formeel, heel stijf plotseling. 'Er is echt geen enkele reden om je bezwaard te voelen over het werk dat ik in de tuin heb gedaan, Julia. Ik doe het met plezier en ik verwacht niets terug.'

Zijn onaangename toon overviel haar en ze wist even niet goed wat terug te zeggen. Toen ze ten slotte een machteloos gebaar met haar hand maakte, schoot Marius in de lach. 'Nu ja, ik heb je toch gewaarschuwd dat geduld niet mijn sterkste kant is,' zei hij verontschuldigend, en zonder op antwoord te wachten liep hij in de richting van het hek.

Het duurde even voordat ze begreep dat hij met die laatste opmerking te kennen gaf dat hij iets wilde. Maar wat wilde hij dan? Iets van haar? Van het landgoed? Een object? Een souvenir? Het recht om in de tuin te werken?

Toen de katten eenmaal weer te voorschijn kwamen, wandelde ze met hen over de geveegde oprijlaan. De buxushaag bij het portiershuis was getrimd, de rozen waren netjes gesnoeid, achter de kassen smeulden de bijeengeharkte bladeren. Beslist geen verbetering, zei Julia tegen zichzelf. Het had iets aandoenlijks, die geïsoleerde stukjes orde te midden van wildernis. De tuin zou toch nooit meer worden als vroeger. Integendeel zelfs, Marius' werkzaamheden mutileerden het. Zo ver kon Papa's idee van dienstbaarheid en respect toch niet gaan? Ze was te zwak geweest, te aardig. De dingen moesten blijven zoals ze waren. Niet alleen de tuin maar vooral ook zijzelf. Geen verandering, geen indringers.

Ze werkte en dacht aan Johan. Aan zijn lichaam, dat ze het beste van hem kende. Zijn gedrongen torso, uitstekende navel, blond schaamhaar, ronde testikels, korte benen. En onvermijdelijk begon ze hem te vergelijken met het weinige wat ze van het lichaam van Marius had gezien. Marius was eleganter, beter gebouwd uit klassiek oogpunt – lange ledematen, smalle borstkas – maar daardoor minder mannelijk, minder viriel. Als jonge man had hij ongetwijfeld iets fragiels gehad. Het bleke neefje van Thijssen. Wellicht had die gevoeligheid Papa aangesproken. Hij hield ervan jonge mensen te stimuleren en ze in aanraking te brengen met andere ideeën. Dat paste in zijn filosofie van de maakbaarheid van de mens. Je moest je ontwikkelen, overal voor open staan, vergelijken, analyseren. Studenten van zijn vriend de hoogleraar Van Hamme, neven en nichten van Mama, kinderen van vrienden. Julia had zich er altijd verre van gehouden, van zowel Papa's overtuigingen als die stroom jeugdige bezoekers. Bovendien woonde ze toen al niet meer thuis. De uitspraak 'Je vader is een heel bijzonder mens' had ze tot misselijk makend toe in haar leven moeten aanhoren. Wellicht was ze jaloers geweest op al die aandacht die Papa voor anderen had. Alsof hij vond dat zij op een of andere manier gefaald had en zijn toewijding niet waard was. Misschien was dat de reden waarom ze zich Marius en het merendeel van al die andere jonge bewonderaars van Papa absoluut niet kon herinneren.

Nu ja, Papa's bemoeienissen hadden bij Marius in ieder geval nergens toe geleid, zei ze tegen zichzelf. Hij leefde van een uitkering en deed niets. Lezen, tennissen, aquarelleren. Waar was zijn hooggestemde ambitie gebleven? Professor... Was het mogelijk dat Papa zich zo in Krugers capaciteiten had vergist? Dat hij niet gezien had hoe middelmatig Marius was?

'Middelmatig, maar knap,' zei ze hardop. Knap genoeg om haar privacy ervoor op te geven? Nee, niet interessant genoeg om zich te laten verleiden tot het sentimentele kat-en-muisspelletje dat hij leek te willen spelen. Het was trouwens eeuwen geleden dat ze dat spel voor het laatst gespeeld had. Toen ze in Florence studeerde. De verhoudingen die ze daarna had waren over het algemeen cynisch en direct geweest. Gelijktijdige masturbatie. Zakelijke transacties gericht op vraag en aanbod. Seks en gezelschap, niet meer. Het hele gedoe van heimelijke kussen en smachtende woorden hoorde voor Julia tot het verleden. Ze had de regels van de romantiek bewust afgeleerd. Verliefdheid was in haar ogen een vermakelijke, maar onnodige stap tussen lust en bevrediging, tussen toegeeflijkheid en irritatie. Haar idee van liefde was anders. Een blik, een weerklank, een amalgaam. Zonder ooit te hoeven smeken, paaien, liegen. Was het zo met Johan? Of had ze zich dat ingebeeld en was het voor hem een louter seksueel avontuurtje geweest? Waarschijnlijk wel... en waarom zou het met deze Marius Kruger dan anders zijn? Was ze niet eerder voor van diezelfde sierlijke billen en mooie armen gevallen? En had ze niet keer op keer ontdekt dat het haar niets verder bracht? Geen gewone liefde had ooit kunnen concurreren met de extase die ze tijdens haar werk voelde. Beeldhouwen was nu eenmaal haar enige passie.

'Ah, je wilt verder,' zei Papa. Ze hoorde hem zachtjes grinniken.

'In mijn werk wel,' antwoordde ze.

'Maar ik dacht dat je het over de liefde had?'

'Die twee dingen zijn met elkaar verbonden.'

'Dan wil je dus ook verder in de liefde.'

'In een bepaald soort liefde misschien, niet in de soort verhoudingen die ik eerder had,' zei ze.

'Het klinkt of je het over de liefde als Grote Geest hebt, de schakel tussen het goddelijke en het aardse.'

'Wie weet,' antwoordde Julia aarzelend. 'Hoe manifesteert die Grote Geest zich?'

Haar vader lachte, alsof ze iets heel doms gevraagd had. 'Lief kind,' zei hij ten slotte. 'Die Geest, of demon zoals je wilt, bemiddelt tussen goden en mensen. Hij brengt de gebeden en offers van de mensen aan de goden over en aan de mensen de antwoorden en geboden van de goden. Hij overbrugt de kloof die het goddelijke en het menselijke scheidt; door hem hangt alles samen.'

'Ik bid nooit en offeren doe ik ook niet vaak.'

'Jouw idee van de liefde is veel vager dan dat van Plato. Een amalgaam, een term uit de alchemie trouwens, is de oplossing van een metaal in kwik. Of het vermengen van twee chemische lichamen zo je wilt, maar dat bedoelde je volgens mij niet.'

'Nee,' antwoordde Julia. 'Dat was niet wat ik bedoelde. Of misschien ook wel. Nu ja, ik weet niet precies. Het is een gevoel, een verlangen.'

'Een verlangen om verder te komen dan het domweg bewonderen van sierlijke billen en mooie armen?' vulde hij aan.

'Ja,' zei ze met een glimlach. 'Waarschijnlijk wel.'

'Eros!'

'Nou, daar heb ik anders meer dan genoeg ervaring
in.'

'Eros is niet hetzelfde als seks, lieve Julia.'

'Wat dan wel?'

'Iets wat je eerst moet ontdekken voordat je het begrijpen kunt.'

'Weer net zoiets als VITRIOL zeker?' verzuchtte ze.

Er kwam geen antwoord.

Het onverkoopbare blok marmer van de steenhouwer
had vorm gekregen. Op het eerste gezicht leek het op
haar andere werk. Afgezien van de vreemde oranje
gloed had het precies dezelfde hoogte, dezelfde in-
troverte expressie, dezelfde passieve houding. Maar
Julia wist dat de huidige vorm tijdelijk was, veranderen zou. Het kon evengoed een mens worden als een
dier of welke organische vorm dan ook. Terwijl ze eraan werkte, kreeg ze iedere dag meer het gevoel dat ze
de macht over het creatieve proces verloor. Het leek
alsof het het beeld was en niet zij die haar beitel en
vijl bestuurde. Na een tijdje begreep ze dat wanneer
ze verder wilde, ze zich geheel en al zou moeten over-
leveren aan de wensen en eisen van de muze. Zonder
te weten wat de uitkomst zou zijn, zonder het proces

te controleren. Zich aan het onbekende onderwerpen, had ze dat ooit eerder gedaan? Als een troubadour afhankelijk van de gratie van zijn grillige dame, als een gevangene van de liefde. Blind en met volledige overgave. Maar waarom langer aarzelen? Huiverde ze niet van plezier bij de gedachte het marmer te beroeren?

'Ik heb een cadeautje voor je,' zei Marius toen ze de voordeur opendeed. Hij zat op de vensterbank, zijn jas dichtgeknoopt, een schipperspet op zijn hoofd, zijn tennisracket en sporttas op de grond. Het was duidelijk dat hij al een tijdje had zitten wachten.

'Een cadeautje? Waarom?'

'Omdat ik een zwak voor je heb.' Hij sprong op de grond en haalde een grote bruine enveloppe uit zijn tas te voorschijn. 'Ik heb altijd een zwak voor je gehad, Julia. Jij hebt het misschien niet gemerkt, maar ik was destijds nogal verliefd op je.'

'Dat was minstens vijfendertig jaar geleden!'

'Toen ook, maar ik had het eigenlijk over later, tijdens het jaar dat ik eindexamen deed.'

'Maar we hebben elkaar dat jaar nauwelijks gezien,' lachte ze.

'Ah! Je weet het dus nog?' zei hij vrolijk.

Julia gaf geen antwoord.

'Weet je het nog?' vroeg hij nogmaals. Hij zag er charmant uit met zijn schipperspet en hooggesloten blauwe jas.

Julia schudde haar hoofd. 'Ik heb een slecht geheugen voor feiten,' zei ze. 'In tegenstelling tot Papa.'

'En die kerstavond met je ouders en alle anderen?'

'Toen de hond de kerstboom omvertrok?'

'Nee, er was geen kerstboom,' zei Marius een beetje teleurgesteld. 'En ook geen hond. We zaten met z'n allen rond de haard in de zitkamer en dronken bisschopswijn. Wij zaten naast elkaar voor het vuur. Je droeg een lichtblauwe jurk met blote schouders. Je vader vertelde over jullie familiewapen, waarin drie beren afgebeeld staan. Naar aanleiding van het berenvel waarop we zaten, geloof ik. Al snel ging het gesprek over alchemie. Hij noemde de beer het symbool van het instinctieve. Van initiatie. "Zijn boosheid is gitzwart als de eerste materie," zei hij. Jij schoot in de lach en je haren raakten mijn wang.'

Terwijl hij sprak liep Julia de stenen trap af naar de brievenbus en haalde de post eruit. In gedachten verzonken bekeek ze de enveloppen. Weer die brieven met het wapen van Nederland erop. Leeuwen, geen beren. Gitzwart als de eerste materie... Nee, en een lichtblauwe jurk met blote schouders kon ze zich niet herinneren. Ze wilde bovendien niet aan het verleden denken, en helemaal niet aan een tijd dat ze met tegenzin haar ouderlijk huis bezocht. Die vakanties op Oude Stein, terwijl ze in Italië studeerde, waren een ramp geweest. Ze telde de dagen dat ze weer terug naar Florence kon, ergerde zich groen en geel aan haar moeder, aan die groep pukkelige studenten in

Papa's studeerkamer. Toen ze ten slotte opkeek, zag ze dat Marius haar met een wat meewarige blik opnam.

'Je bent nog net zo zonderling als vroeger,' zei hij.

'Zonderling?' herhaalde ze.

'Ongrijpbaar. Afwezig.'

'Ik ben zoals ik ben,' antwoordde ze en liep de trap weer op.

'"Ik ben zoals ik ben en dat bevalt me," zoals je vader altijd zei,' lachte hij.

'Een uitspraak van Sacha Guitry.'

Hij hield haar op de laatste trede staande. 'En ik dacht dat je een slecht geheugen voor feiten had?'

'Dat heet een selectief geheugen, Marius,' zei ze een beetje spottend.

'Halleluja!' riep hij opeens uit en hief zijn armen ten hemel. 'Voor het eerst in twintig jaar heb je me weer bij mijn voornaam genoemd.'

'Aansteller.'

Hij pakte haar opnieuw bij haar hand. 'Ja, ik ben een aansteller. En niet alleen dat, ik ben veel zonderlinger dan jij. Ik ben een gevaar voor de onverpeste blanke zieltjes van onze jeugd. Ik heb subversieve opvattingen. Ik vertelde mijn zeer christelijke leerlingen onverbloemd over de voor-en nadelen van genetische manipulatie, van het fascisme, van verschillende vormen van religie. Waarom denk je dat ik afgekeurd ben, Julia? Ik kon kiezen: of de ziektewet, of het gesticht.' Het was duidelijk dat hij maar wat zei, om haar aandacht vast te houden, om hun conversatie te rekken.

'Ik moet terug naar mijn atelier,' viel ze hem in de rede en trok zich los.

'Ongrijpbaar,' mompelde hij en pakte zijn tas en racket van de grond. 'Volstrekt ongrijpbaar.'

Julia reageerde niet maar toen hij al bijna bij het hek was herinnerde ze zich opeens de bruine enveloppe die hij uit zijn tas had gehaald. 'Hé Marius!' riep ze hem na. 'En het cadeautje dat je voor me meegebracht had?'

Vrolijk zwaaide hij met de enveloppe in de lucht. 'Dat krijg je de volgende keer. Wanneer je je beter gedraagt!'

Toen Julia een paar uur later haar gereedschap ter zijde legde en een sigaret opstak, merkte ze dat Marius' lichaamsgeur nog aan haar hand hing. Ze drukte haar vingers tegen haar neus en lippen. Transpiratie, pijptabak en lavendel.

HOOFDSTUK 3

Nadat het een week onophoudelijk gestortregend had, brak het wolkendek en steeg de temperatuur tot uitzonderlijke hoogte. Alsof het niet eind maart, maar eind mei was. In een paar dagen liepen de struiken en bomen uit, de forsythia's bloeiden en aan weerszijden van de paden was een zee van wilde bloemen en planten opgekomen. Het zou niet lang meer duren voordat takken en bladeren de snelweg en de flats van Nieuwe Stein aan het oog onttrokken. Binnen twee maanden zou het landgoed weer het lusthof zijn waar de familie Boyer altijd trots op was geweest.

Marius was op de fiets een of ander wondermiddel tegen plantluizen komen brengen. Hoogrode blossen kleurden zijn gezicht, de wind had zijn haar platgestreken. Hij ziet er nog jonger uit dan de laatste keer, dacht Julia. Meer een student dan een man van middelbare leeftijd. Ze had niet de moed te zeggen dat ze zijn bemoeienissen in de tuin niet op prijs stelde. Zwijgend keek ze toe hoe hij de rozenstruiken besproeide. De zorgzaamheid waarmee hij tak voor tak inspecteerde, had iets aardigs. Netjes bond hij de nieuwe loten samen, haalde een aantal dode bladeren weg.

'Deze bloeien waarschijnlijk niet voor eind juni,' zei hij. 'En dan aan het eind van de zomer weer...'

'Ik heb er nooit op gelet,' zei Julia.

Marius keek met een glimlach naar haar op. 'Je bent verwend; je ziet niet eens meer in wat voor paradijs je woont.'

'Een paradijs grenzend aan het vagevuur...' mompelde ze.

Hij liep zonder antwoord te geven naar het kraantje bij de bijkeukendeur en waste zijn handen. Nadat hij ze zorgvuldig met zijn zakdoek had afgedroogd, vroeg hij: 'Wat ga je doen wanneer je onteigend wordt?'

Julia leunde tegen de muur van het huis en warmde zich in de zon. 'Daar heb ik nou nog nooit over nagedacht,' zei ze. Ze zweeg even en vervolgde: 'Terug naar Italië waarschijnlijk. Of... Ik weet niet.'

'Je gaat je niet verzetten? Geen rechtzaak? Geen protest?'

Ze dacht dat hij een grapje maakte. 'Protest?' herhaalde ze.

'Ja, je gaat je toch niet zo maar op straat laten zetten omdat iedereen zich als konijnen voortplant en er uitgerekend op dit landgoed flatgebouwen of snelwegen moeten komen? Je vader heeft al weet ik hoe veel hectaren aan de gemeente Nieuwe Stein verkocht.

Hoe lang heeft de familie hier wel niet gewoond? Driehonderd jaar? Het huis moet in ieder geval gespaard worden!' Wond hij zich werkelijk op? Julia had in eerste instantie haar gezicht in de plooi weten te houden, maar nu kon ze haar lachen niet meer houden.

'Driehonderd jaar?' proestte ze. 'Je overdrijft, Marius. De Boyers kochten Oude Stein in 1850 van vermogen dat ze in de kolenhandel hadden verdiend.'

'Ja, maar ze kochten het van hun neven Van der Elst, en die hadden het landgoed al sinds het einde van de zeventiende eeuw.'

Julia keek hem verbaasd aan. 'Heeft Papa je dat verteld?'

'Je vader interesseerde zich niet voor genealogie. Alhoewel hij het zeker geweten moet hebben, want een van jullie voorouders, Leon van der Elst, was een beroemd alchemist in Brussel. Nee, ik heb een beetje speurwerk gedaan in het gemeentearchief van Nieuwe Stein.' Dezelfde zelfingenomenheid in zijn stem die ze eerder opgemerkt had. Of was hij verlegen?

'Waarom?' vroeg Julia en stak een sigaret op. Wat gaat onze familie jou aan, had ze eraan toe willen voegen.

'Zomaar,' antwoordde Marius. 'Ik interesseer me nu eenmaal voor van alles en nog wat. Zoals een frik in de maatschappijleer betaamt. Ik heb zo van die periodes. Vroeger ontwierp ik schaakproblemen. Een tijdje later was het geschiedenis en klassieke muziek. Tegenwoordig lees ik veel psychologie en biologie. Ik ben een echte autodidact; ik weet van alles een beetje.'

Julia glimlachte en moest denken aan wat haar vader haar eens vertelde over Ogier P., een figuur uit de roman *La Naussée* van Sartre. Ogier P... – autodidact – had de encyclopedie uit zijn hoofd geleerd, maar was slechts tot de letter l gekomen. Verder dan begrippen beginnend met een l ging zijn kennis niet. 'Je verveelt je dus nooit,' zei ze na een tijdje.

'Nee,' antwoordde hij en ging op de trap zitten. 'Ik probeer mezelf zo goed als het gaat intellectueel bezig te houden. Het schijnt dat je om je gelukkig te voelen, je dient te concentreren op mentale, niet-emotionele bezigheden. Daardoor wordt een deel van je hersenen uitgeschakeld en heb je minder last van negatieve gevoelens.'

'Dat is wel heel makkelijk,' zei Julia en ging naast hem zitten. 'Volgens mij is gelukkig zijn eerder iets wat je moet verwerven... Net zoals je een taal leert spreken, zoals je een vaardigheid onder de knie krijgt.'

Hij schudde zijn hoofd en probeerde tevergeefs zijn pijp aan te steken. 'Hoeveel mensen ken jij die geluk verwerven doordat ze er werkelijk moeite voor hebben gedaan? Ik niet veel; iedereen is over het algemeen ellendig en ontevreden, wat ze ook doen. Nee, het is domweg een kwestie van toeval. Van hoe je in elkaar zit, waar je geboren bent, wat er op je weg komt, welke kansen je krijgt.' Hij sprak opeens met een zekere bitterheid in zijn stem, ongeduldig, boos haast.

'Wat ben jij een pessimist,' lachte ze. 'Mensen zijn veel minder ellendig dan je denkt. Misschien...'

'Misschien projecteer ik mijn eigen ontevredenheid op de gehele mensheid?' viel hij haar nogal abrupt in de rede en pakte haar hand. 'Zou kunnen. Het is waar dat ik niet bepaald tevreden ben de laatste tijd. Maar dat is ook niet verwonderlijk; ik ben diep onder de indruk van een vrouw die weliswaar vriendelijk tegen me is, maar me in drie weken nog niet eenmaal een kop thee heeft aangeboden.'

Julia trok haar hand weg. Ze vond zijn directheid onaangenaam, zijn verongelijktheid kinderachtig. Na even aarzelen mompelde ze: 'Ik ben geen goede gastvrouw... Niet zoals Mama in de tijd dat je in de bibliotheek hielp.'

'Je moeder?' herhaalde Marius. Aan de toon waarop hij het zei merkte ze dat hij zijn woorden betreurde. Hij schoof nog iets dichter naar haar toe. 'Zal ik dan een kop thee voor jou zetten?'

'Vandaag niet,' zei ze.

'Overmorgen dan?' Hij stond op en ging vragend voor haar staan.

Julia stond op en rekte zich uit. Ze zag dat Marius keek naar de gerafelde paardrijbroek die ze droeg, monsterend gleden zijn ogen langs haar spichtige lichaam. Even verwachtte ze dat hij iets zou zeggen over de manier waarop ze eruitzag. Maar hij zei niets en begon zijn pijp uit te kloppen.

'Overmorgen dan?' herhaalde hij nadat hij zijn fiets gepakt had.

'Misschien,' antwoordde ze en pakte haar lege theekopje van de trap. 'Misschien...'

Welke grote beeldhouwer had ook al weer geschreven dat hij slechts aan de oppervlakte bracht wat de ruwe steen al in zich droeg? De vorm van het beeld ligt al in het marmer besloten; de kunstenaar is niet meer dan het werktuig dat deze vorm tot leven brengt. Hij voegt niets toe, hij verandert niets. De uitkomst ligt al vast, is ontworpen door een mysterieuze kracht die de artiest niet kan doorgronden. Was het Michelangelo geweest? Het leek op wat Papa over de Egyptische beeldhouwkunst had gezegd. Julia probeerde zich te troosten met deze gedachte. Ze moest niet proberen te begrijpen, te sturen, te beïnvloeden. Dienen, dat is alles wat van haar verwacht werd. Zich ondergeschikt maken, zich in dienst stellen van. Maar dat viel niet mee. Niet weten waartoe haar inspanning zou leiden, vervulde haar met frustratie en ongeduld. Iedere dag poogde ze opnieuw te peilen wat het beeld uiteindelijk zou gaan voorstellen. Het is een dier, zei ze tegen zichzelf, terwijl ze om het platform heen liep. Een mythologisch dier. Een steigerende eenhoorn. Een dansende sater. Maar het zou ook een plant kunnen zijn. Een slingerende tak bewoond door een geest. Of een mens? Een slapend kind? Een oude man?

'Je kunt niet meer kijken,' zei haar vader. 'Je ziet alleen wat je wilt zien, wat je geleerd hebt te zien.'

'Wat jij me geleerd hebt te zien,' antwoordde Julia.

'Dat is te gemakkelijk. Bovendien heb je nooit veel interesse gehad voor wat ik je probeerde te leren.' Zijn stem klonk verwijtend, dezelfde toon als waarmee hij haar destijds opbelde om over de katten, de lekkende wastafel en de kapotte verwarming te klagen. Julia zweeg. Na een paar minuten vroeg ze: 'En wanneer ik wel zou kunnen kijken, wat zou ik dan zien, Papa?'

'Niets. Alles. Geen gedefinieerde vorm. Alles is nu nog mogelijk.'

'Maar hoe kan ik dan ooit verder werken?' vroeg ze met een zucht.

'Je kunt alleen verder werken door te luisteren.'

'O, je bedoelt dat ik ook al niet meer kan luisteren?'

'Ja. Je hoort alleen wat je wilt horen, wat je geleerd hebt te horen.'

'En wat zou ik dan in godsnaam moeten horen?' riep ze geërgerd en liep het atelier uit naar de keuken.

Misschien, had ze Marius geantwoord en ze wist werkelijk nog niet of ze hem zou ontvangen. Maar voor de zekerheid ruimde ze toch de zitkamer op. Ze haalde de zware fluwelen hoezen van de stoelen en banken en stofte de meubels af. Ze opende de luiken en hing een aantal schilderijtjes recht. De kamer was sinds Marius' laatste bezoek, ruim twintig jaar geleden, niet veel veranderd, dacht ze. De bekleding van de bergère was anders en er stonden iets minder snuisterijen dan toen haar moeder nog leefde. Waarschijnlijk was Marius in de tijd dat zijn oom ziek was dagelijks bij haar ouders over de vloer geweest. Een uurtje helpen met de boeken in de bibliotheek en daarna thee of een borrel hier beneden. Hij had al eindeloos vaak op de bank gezeten, over het kleed gelopen, naar de familieportretten gekeken, de fotoalbums doorgebladerd. Toch vond ze het een verontrustend idee om hem in het huis binnen te laten. Niemand was er ten slotte sinds haar vaders dood geweest. De kruidenier kwam niet verder dan de voordeur en de steenhouwer kende alleen het atelier.

Iemand ontvangen betekende niet alleen een vreemde toelaten op haar territorium, maar ook gedwongen zijn de dingen op orde te brengen. Julia moest zich voor het eerst in zeven jaar bezig houden met de vraag wat voor een indruk zij en haar huis maakten. Ze moest het theeservies afwassen, ergens in de provisiekast suikerklontjes zien te vinden, een paar zilveren lepeltjes poetsen. En niet alleen dat; de manier waarop Marius bij zijn afscheid naar haar gekeken had, had haar in verwarring gebracht over haar uiterlijk. Hoe zag ze eruit? Ze had zich nooit verwaarloosd, dat niet. Ze waste zich iedere ochtend met koud water, ze knipte netjes de dode punten uit haar lange donkere haar, ze epileerde haar wenkbrauwen. Maar was ze nog mooi? Ze stond in de slaapkamer van haar moeder en kleedde zich langzaam voor de spiegel uit. Een witte schim in het halfduistere vertrek. Het lichaam van een meisje haast. Ongeschonden, hard. Androgyn wellicht.

Zodra hij met zijn doos taartjes en bosje fresia's in de hal stond, had ze spijt. Marius zag er hopeloos uit in zijn tweed jasje met te breed gestrikte das. Te glad geschoren ook, te netjes gekapt. Het neefje van de pachter op visite in het grote huis. Alle natuurlijkheid tussen hen was verdwenen. Ze had de theelepeltjes niet moeten poetsen, dacht ze. Ze had nooit het mooie servies te voorschijn moeten halen. Dat maakte het alleen maar erger. Stom. En nu had ze ook nog de lange donkerblauwe plissérok en keurige mocassins van haar moeder aangedaan. Ze zag er waarschijnlijk uit als een oude vrijster. Het was bespottelijk. Overvallen door gêne ging ze hem voor. 'Je herinnert je de zitkamer vast nog wel,' mompelde ze.

'Natuurlijk!' Met zijn handen in zijn zakken doorkruiste hij het vertrek. Hij bleef staan voor het portret van haar moeder. Maar ze zag dat hij voornamelijk naar zichzelf in de spiegel keek.

'Ga zitten, als je wilt,' zei Julia en wees een van de stoelen aan. 'Dan haal ik de thee.'

'Ik zou toch voor jou thee zetten.'

'Ach nee,' antwoordde ze en liep snel de gang in. Ze hoopte dat hij in de kamer zou blijven, haar niet achterna zou komen, maar terwijl ze het kokende water in de theepot schonk, verscheen hij in de deuropening van de keuken.

'Is het nou niet raar om hier helemaal alleen te wonen?' vroeg hij.

'Waarom raar?'

'Nu ja, zo geïsoleerd...'

'Geïsoleerd? Met de snelweg op nog geen vijfhonderd meter?' Ze pakte het blad en samen liepen ze terug naar de zitkamer.

'Wat ik bedoel,' vervolgde hij, terwijl hij ging zitten op de bank, 'is dat je zo helemaal buiten de maatschapij leeft. Alsof de moderne wereld helemaal niet bestaat. Je hebt vast geen televisie...'

Ze gaf geen antwoord en reikte hem een kopje aan.

'Of lees je de krant misschien?'

Julia haalde haar schouders op. 'De moderne wereld en ik kunnen heel goed zonder elkaar.'

'Maar stel nou dat er iets gebeurt.' Hij pakte een taartje van het blad en zette zijn tanden erin. 'Ik weet niet, een oorlog of zo...'

'Dan stap jij op je fiets om het me te vertellen,' antwoordde ze.

'Nee, even serieus,' zei hij met volle mond. 'Voel je je nooit alleen? Heb je nooit behoefte aan gezelschap?'

'Zelden, ik ben hier juist komen wonen omdat ik alleen wilde zijn, om me geheel op mijn werk te concentreren.'

Marius legde het half opgegeten taartje terug op het schoteltje. Het was duidelijk dat haar antwoord hem niet beviel. 'Nu, dan ben je vast heel gelukkig; ik neem aan dat beeldhouwen een mentale, niet-emotionele bezigheid voor je is,' zei hij.

Zonder op zijn onaangename vaststelling in te gaan, vroeg ze: 'En jij? Leef jij wel in de moderne wereld?'

'Eh nee, waarschijnlijk niet, maar ik ben wel op de hoogte van wat er gaande is. Ik zie andere mensen, ik weet dat ze in Amerika, en god mag weten waar nog meer, begonnen zijn met embryo's klonen, ik volg de ontwikkelingen in het Midden-Oosten op de voet.' Hij zweeg even en voegde er zachter aan toe: 'Het was geen kritiek, hoor. Je manier van leven fascineert me, maar ik vind het ook iets onnatuurlijks hebben. Een mens is een kuddedier en heeft behoefte aan sociale structuur. Ik zou niet kunnen overleven zonder mijn kennissen op de club... Zonder het contact, de uitwisseling met anderen.'

'Al mijn behoeften worden bevredigd door mijn werk,' antwoordde Julia. 'Dat is een keuze.'

'Daar geloof ik niets van. Niemand kiest voor eenzame opsluiting. Ach, misschien ben ik gewoon jaloers, misschien zou ik ook graag leven zoals jij. Altijd doen wat je leuk vindt...'

'Ik doe niet altijd wat ik leuk vind,' antwoordde ze.

'Ik vind wat ik doe leuk; dat is iets anders. En waarom zou jij dat trouwens ook niet kunnen doen? Je bent volgens mij helemaal vrij.'

'Ja, vrij mijn tijd te besteden zoals me uitkomt, maar vrij, echt vrij, nee...'

Vrijheid is net zoals geluk, wilde ze in navolging van Papa zeggen, iets wat je moet verwerven, maar ze zweeg. Ze vond het gesprek onaangenaam, zijn woorden dubbelzinnig. Hij speelt een spelletje, dacht ze. Ik verdoe mijn tijd.

Marius leunde achterover tegen de rugleuning van de bank en keek naar het hoge stucplafond. 'Wat is het hier toch mooi,' verzuchtte hij.

'Ik gebruik deze kamer nooit,' zei Julia vlug. 'Ik ben altijd in mijn atelier.'

'Jammer, al die ruimte die je niet gebruikt. Ik was destijds al veel liever hier dan bij mijn oom op de boerderij. Het huis heeft iets magisch. Het geeft je een gevoel van geborgenheid, van bescherming. Weet je dat ik nog jarenlang gedroomd heb over de tijd dat ik regelmatig bij je ouders over de vloer kwam? Ik hoorde je vader praten, zag je moeder bij het raam zitten. Zo echt waren die dromen dat ik wanneer ik wakker werd de geur in jullie gang kon ruiken, de voordeur kon horen dichtslaan.'

Julia luisterde niet meer. Ze hoorde het geraas van de snelweg. Steeds dezelfde cadans. Als de branding van de zee. Ze had hem niet binnen moeten laten, herhaalde ze in gedachten. Ze had hem nooit binnen moeten laten.

'Eet je je gebak niet?' vroeg hij na een paar minuten.

'Ik eet weinig,' zei ze.

'Dan leef je vast heel lang! Ze hebben ontdekt dat wanneer je ratten op een dieet zet, ze minder vaak ziek worden en twee keer zo lang leven.'

Julia glimlachte flauwtjes.

'Je bent natuurlijk geen rat, maar het geldt ook voor mensen. De Denen hadden tijdens de Tweede Wereldoorlog net genoeg te eten om in leven te blijven en waren niettemin kerngezond. Zo zie je maar, zelfs ellendige dingen hebben hun goede kant.'

Hij doceerde. Zo moet hij ook voor de klas hebben gestaan, dacht ze. Jongensachtig, grapjes makend, maar altijd met die verongelijkte bittere ondertoon.

'Ik verveel je,' zei hij plotseling hard. 'Je wilt weer aan het werk; het bezoek is afgelopen.'

'Nee, helemaal niet.'

'Jawel, jawel,' mompelde hij en kwam overeind. 'Ontken het maar niet.' Hij verdween naar de gang en toen hij even later terugkwam, overhandigde hij haar met een plechtig gebaar dezelfde bruine enveloppe van een paar weken geleden.

Er zat een kleine aquarel in. Een gezicht op Oude Stein. Julia bekeek het aandachtig. Heel keurig, heel netjes gedaan. Ieder kaal struikje, ieder kaal boompje stond erop. Als een ingekleurde zwart-wit-foto bijna. 'Mooi,' zei ze.

Marius keek haar afwachtend aan. 'Echt? Vind je het echt mooi? Denk je dat ik talent heb?'

'Wat is talent?' zei ze met een glimlach. 'Het gaat erom dat je er plezier in hebt.'

'Ik heb het voor jou gemaakt, na die eerste keer dat ik langskwam,' zei hij mat.

'Wat ongelooflijk aardig van je.' Ze hield de aquarel een armlengte van zich af en tuurde er nogmaals naar. 'Ja, het is mooi. Goed gedaan, vooral de lucht.'

Er viel een stilte. De auto's raasden. De trein floot. Een bromfiets scheurde over de weg naar de tennis-club.

'Ik moet gaan,' zei Marius. Hij kreeg iets schichtigs en gehaasts. Hij ontweek haar blik en liep naar de gang. Bij de voordeur kuste hij haar hand. Het gebaar had iets onderdanigs. Snel trok Julia haar vingers terug en drukte zijn arm. 'Dag. Dank je wel voor de aquarel,' zei ze zacht en opende de deur. 'En dank je voor de taartjes en de bloemen.'

Toen hij weg was, slaakte ze een zucht en bleef geleund tegen de voordeur in de gang staan. 'Verdomme,' fluisterde ze. 'Verdomme!'

Een dier, een plant, een mens, dacht ze toen ze de lichten in het atelier aandeed. Behoedzaam sloop ze rond het platform, hamer en beitel in de aanslag. Alsof ze hoopte het beeld te betrappen, alsof ze het bij verrassing wilde overvallen. Maar het marmer was ongenaakbaar, als hermetisch gesloten. Af en onaf tegelijkertijd. Nergens was een opening, een zwakke plek waardoor ze tot de kern kon doordringen. Een dier, een plant... Ze ging zitten op een stoel en legde het gereedschap op de vloer naast zich.

'Je kunt alleen verder werken door te luisteren,' had haar vader gezegd. Maar waarnaar zou ze dan moeten luisteren? En plotseling dacht ze aan hoe de katten een tijdje geleden midden in de nacht voor het marmeren blok hadden gezeten. Heel stil, zonder te bewegen, met halfgesloten ogen. Alsof ze iets hoorden. Alsof ze naar iets luisterden. Alsof ze op iets wachtten.

'Wachten. *Attendere*,' begon Papa meer alsof hij het tegen zichzelf dan tegen haar had. 'Van *tendere*, zich wenden naar. Het is oplettend zijn. Attent zijn, zeggen wij.'

Julia reageerde niet. Ze bleef op haar stoel zitten, haar handen in haar schoot, haar hoofd gebogen.

'Westerlingen zijn slecht in wachten,' vervolgde haar vader. 'In het Oosten is het een kunst. Wellicht omdat oosterlingen de eeuwigheid anders beleven dan wij. Wij zien wachten als een nutteloze bezigheid, als verloren tijd. Omdat we alleen kunnen denken aan datgene waarop we wachten, in plaats van ons te concentreren op het wachten zelf...'

'Wat heeft dat nu voor zin? Je concentreren op het wachten zelf?' vroeg Julia. Of vroeg ze het niet? Misschien dacht ze het alleen maar.

'Het heeft geen zin, en dat is juist de grap. Het is een andere manier van de werkelijkheid ervaren. Niet doelgericht. Je kunt het vergelijken met mediteren; je stelt je open voor ervaringen die je anders niet zou hebben. Door je te concentreren activeer je een deel van je hersenen dat zich gewoonlijk in sluimertoestand bevindt.'

'Wanneer je wacht ben je dus gelukkig?' vroeg Julia, denkend aan wat Marius had gezegd over mentale bezigheden en het effect daarvan op negatieve gevoelens.

'Als je wacht zonder te denken aan datgene waarop je wacht wel.'

'Maar Papa, eerst zei je dat ik moest luisteren! Nu moet ik wachten... Je haalt alles door elkaar.'

'Nee. Wachten is je wenden naar, is oplettend zijn. Dat is luisteren, Julia.'

Ze kon niet denken aan zijn laatste bezoek zonder een gevoel van schaamte te krijgen. Alsof ze zich misdragen had, alsof ze zichzelf niet in de hand had weten te houden. Ze had niets gedaan om ervoor te zorgen dat Marius zich op zijn gemak zou voelen. Erger nog, ze had hem gestraft voor het feit dat hij zo opgeprikt verschenen was. Een beleefdheidsbezoekje was het geweest. Een visite in de ergste zin van het woord. En waarom? Had hij haar teleurgesteld? Of kon ze het niet hebben dat hij zulke goede herinneringen aan haar vader had? Of dat hij zo dweepte met het huis waar zij zich nooit thuis had gevoeld? Zelfs voor de planten in de tuin had hij meer aandacht. Alsof Oude Stein hem en niet haar toebehoorde. Was ze jaloers?

'Gebrek aan generositeit,' had Papa jaloezie genoemd. 'Iets voor jezelf willen houden, en, aangezien iedere vorm van bezit gezien de eindigheid van het leven onzinnig is, zelfdestructief.'

Julia liep naar het raam en bestudeerde in het licht opnieuw Marius' aquarel. Niet onaardig, maar braaf. 'Verdienstelijk,' zou haar moeder hebben gezegd. Hij had geprobeerd de werkelijkheid zo getrouw mogelijk weer te geven. Zonder veel fantasie, zonder veel emotie. Dat is dus zoals Marius Kruger Oude Stein ziet, dacht ze. Weinig kleur. Geen nuances. Streng. Een zeventiende-eeuws landhuis in een verwilderde tuin. Er sprak te veel eerbied uit zijn tekening. Ressentiment ook. Ze had het eigenlijk al begrepen toen hij met die fresia's en die banketbakkersdoos in de gang stond. Weer op bezoek in het grote huis. Zijn jongensdroom verwezenlijkt. En natuurlijk was hij aardig. Aantrekkelijk zelfs. Maar de tijd van de zakelijke transacties was voorbij. Ze wilde niet meer onderhandelen, niet meer marchanderen om seksueel plezier te krijgen.

HOOFDSTUK 4

'Liefde is alles: rust en beweging tegelijkertijd.' Julia werd wakker van haar eigen stem. De klank van de woorden lag nog op haar lippen, zoet en stroperig, maar wat ze gezegd had wist ze niet. Ze had iets gedroomd. Een abstracte droom, zonder mensen, zonder gebeurtenissen. Alleen kleur. Licht. Maar prettig, zo prettig dat ze moeite had op te staan. Haar ledematen voelden loom en voldaan, als na een warm bad, als na de liefde te hebben bedreven. Ze draaide zich om en trok het laken over haar schouder. De zonnestralen schenen door de kieren van de zware gordijnen op de houten vloer. Glimmende nerven als van goudaders.

Met halfgesloten ogen keek ze de kamer rond. Sinds haar tiende was bijna alles hetzelfde gebleven, behalve het bed natuurlijk. Het schrijftafeltje dat ze voor haar veertiende verjaardag had gekregen. En de twee schilderijtjes die ze van haar grootmoeder geërfd had. Verder hetzelfde *toile de Jouy*-behang met roze herderinnetjes, dezelfde koperen schemerlampjes. De verzameling speeldozen die haar ouders van hun reizen hadden meegebracht, de boeken die haar vader haar cadeau had gedaan. Geen echte kinderkamer. Maar was ze ooit wel echt kind geweest? Onbezonnen, onbesuisd, ongecontroleerd? Julia draaide zich op haar rug en dacht na. Als klein meisje niet. En later? Nee, altijd ernstig, zelfs op school. Het kind van te oude ouders. Nooit uitgelaten, nooit schaterlachend, nooit huppelend. En met Marius bij de lammetjes van Ger Thijssen? Ze kon zich er niets van herinneren. Geen beeld. Niets. Misschien had hij dat hele verhaal van hun jeugdige vriendschap verzonnen, dacht ze. Net als die kerstavond waarop ze naast hem op het bontvel had gezeten. Als verleidingsmanoeuvre. Ze schoot in de lach. Weer die smaak op haar lippen. Alsof ze honing gegeten had. Alsof een elf tijdens haar slaap niet haar ogen, maar haar mond met tovermiddel bedruppeld had.

Het weer bleef prachtig. De twee tulpenbomen naast het atelier stonden in bloei en wanneer Julia de ramen open had, rook ze de zoete geur nog in de gang. Een geur als van een strak gespannen laken dat droogde in de zon. Niet bedwelmend, niet zwaar, maar open en prikkelend. De katten leken er onrustig van te worden; ze galoppeerden door het vertrek, sprongen door het raam naar buiten, om bijna onmiddellijk daarna weer naar binnen te klauteren. Julia observeerde hun sierlijke capriolen. Steeds hetzelfde parcours legden ze af, achter elkaar aan. Alsof ze een ritueel uitvoerden, alsof ze iets wilden bezweren. Na een tijdje klapte ze in haar handen en joeg de beesten de tuin in. Ze liet de lichten uit, haar gereedschap onaangeroerd op de werkbank, haar handschoenen en stofjas op de vloer. Ze bleef zitten in haar stoel en luisterde. Met gesloten ogen. Naar de geluiden in het bos, naar de auto's, naar het slaan van de kerkklok in de verte. Naar niets. Naar de stilte. Totdat haar eigen ademhaling een nog nooit gezongen melodie werd die het marmeren beeld op het platform tot dansen, tot beweging uitnodigde. En opeens begreep ze wat haar vader had willen zeggen: luisteren is zingen met je hart.

Er werd getoeterd. Ze dacht dat het de kruidenier was, maar toen ze de voordeur opendeed zag ze een auto die ze niet kende. Een witte Fiat met gedeukte bumper.

'We gaan varen,' zei Marius terwijl hij uitstapte. Hij leunde met zijn armen op het dak van de auto. 'Ik heb alles bij me. Zelfs een fles chablis... Kom, niet aarzelen, niet nadenken, gewoon instappen.'

'Maar...' begon Julia.

'Nee, het is te mooi weer om te werken!' Hij knikte haar toe, zonder gêne, zonder enig spoor van verlegenheid over hun laatste ontmoeting. Had hij dan niet gemerkt hoe akelig de sfeer die middag was? Hoe krampachtig hun conversatie verliep?

'Varen?' herhaalde ze om tijd te winnen.

'Ja, varen. In het bootje van Joep. Op de Linge. En ik accepteer geen enkel excuus, dus stap nu maar gauw in. Zijn alle ramen dicht? Heb je het warm genoeg? Heb je de sleutel?' Hij liep haar met uitgestoken arm tegemoet. Julia voelde of ze de huissleutel in haar zak had en moest hem zo beduusd hebben aangekeken dat Marius begon te lachen.

'Stil maar, voor donker ben je weer terug.' Vastberaden duwde hij haar in richting van de auto.

Voordat ze het wist waren ze langs de tennisclub gereden en draaiden ze de snelweg op. Fel weerkaatste het licht tegen het blik van de langzaam rijdende auto's in de file. Julia keek in het voorbijgaan naar de flats van Nieuwe Stein. Onwerkelijk kaal en dichtbij. Tempels van een buitenaardse cultuur. Hun overdonderende nabijheid vervulde haar met een vaag onbehagen. Of kwam het door het overhaaste vertrek dat ze zo licht in het hoofd was?

Marius keek haar onder het rijden tevreden aan. 'Zo, ik heb je geschaakt,' zei hij. 'Nu gaan we naar Napels.'

'Liever naar Venetië,' antwoordde ze zo luchtig mogelijk.

'Zeg eens, hoe lang ben je het landgoed niet af geweest?'

Julia zweeg. Na een tijdje zette ze de radio aan. De klassieke zender, een van de *Brandenburgse concerten*. Ze was deze winter nog naar de tandarts in Utrecht geweest. Twee keer zelfs. En een middag naar Den Haag om naar de bank te gaan. Met de auto. Maar ze gaf geen antwoord en bleef uit het raampje kijken. Het rivierenlandschap in de lente. De zon scheen versluierd door de nog bijna kale populieren. In de boomgaarden bloeiden de appelbomen. Lammetjes in de weilanden. In de verte een boer die zijn veld inspecteerde.

'Bach is de grootste,' zei Marius opeens. Alsof hij haar uitdaagde. Alsof hij een controversiële uitspraak deed.

'Ja, waarschijnlijk. Papa was het in ieder geval met je eens.'

'Ik had na mijn laatste bezoek nog dezelfde avond terug willen komen om met je naar het zestiende preludium uit het eerste deel van *Das wohltemperierte klavier* te luisteren.'

'Het zestiende preludium?' herhaalde Julia afwezig. 'Ik geloof niet dat ik het ken.'

Hij legde opeens zijn hand op de hare en vervolgde: 'Ik dacht steeds: wanneer ze dat hoort, wanneer we daar samen naar luisteren, dan zal die onmogelijke theevisite uitgewist zijn. Dan begrijpt ze hoe ik werkelijk ben. Dan kunnen we opnieuw beginnen.'

Ze liet zijn hand op de hare liggen. Zwaar. Dwingend. Bij het stoplicht schakelde hij met zijn linkerhand terwijl hij haar vingers omvatte.

'Mijn vader hield meer van *Die Kunst der Fuge*,' zei ze zacht.

'Tabula rasa,' vervolgde Marius met nadruk. 'In de liefde blijf je nu eenmaal fouten maken. Hoe oud je ook bent. Het is geen instinctief kunstje, zoals seks. Iedere nieuwe liefde is weer anders en vereist nieuwe spelregels. Het lijkt op jouw opvatting van geluk; je moet er steeds weer moeite voor doen. Weet je trouwens dat de mens het meeste sexy zoogdier op aarde is? Geen enkel beest besteedt zoveel aandacht aan liefde en voortplanting als wij.'

'Je geeft les, alsof je voor de klas staat,' merkte Julia op en zocht in haar jaszak naar een sigaret.

'Omdat je niet reageert,' zei hij zonder haar aan te kijken.

'Reageert op wat?'

Langzaam begon hij met zijn vingers over haar bovenbeen te strelen. 'Op mijn voorstel om opnieuw te beginnen. Die middag bij jou thuis vergeten.'

Ze kon geen antwoord geven. Iedere centimeter die hij met zijn hand over haar dunne kaki broek aflegde, deed haar bekken zachtjes samentrekken. In golven. In schokjes. Van haar navel tot haar longen, van haar onderbuik tot haar middenrif. Hoger, steeds hoger. Alsof ze geboorte moest geven aan een klank, aan een woord.

'Tabula rasa,' zei ze ten slotte met overslaande stem en duwde vlug zijn hand van zich af.

Ze was vergeten hoe de ruimte voelde. Open water, de wind die aan je haren trekt, de zon die je ogen verblindt. Te veel lucht. Te veel zuurstof ineens. Met haar armen over elkaar geslagen zat ze op de achterplecht. Marius merkte niet hoe ongemakkelijk ze zich voelde. Hij stond aan het roer, rookte zijn pijp, grijnsde tevreden. Zichtbaar genoot hij van het mooie weer.

'En wanneer je een nieuw beeld begint,' zei hij, 'heb je dan al een idee wat je wilt maken?'

'Niet altijd,' antwoordde ze. 'En zelfs al heb ik een uitgesproken idee dan kan het toch nog altijd veranderen. Je ontdekt gaandeweg pas wat je wilt...'

'Het creatieve proces,' mompelde Marius. 'Ik las laatst dat men in de psychoanalyse van mening is dat iedereen au fond creatief is, maar dat slechts een enkeling erin slaagt de remmingen en inhibities te overwinnen die nodig zijn om die creativiteit te ontwikkelen.'

'Ik geloof niet dat ik veel remmingen en inhibities heb moeten overwinnen om beeldhouwer te worden,' zei Julia.

'Nee, maar jij hebt dan ook de ideale opvoeding gehad.' Toen ze niets terugzei vervolgde hij: 'Enig kind, een vader die je intellectueel stimuleerde, en een moeder die je helemaal vrijliet. En dat alles op een van de mooiste landgoederen van Nederland. Wanneer ik dat zou hebben gehad, dan was ik vast de nieuwe Picasso geworden.'

'Het is nooit te laat om je ertoe te zetten,' antwoordde Julia mat. Ze voelde zich inmiddels zo ellendig dat ze helemaal opgekruld tegen de kussens van het bankje zat. Maar Marius merkte niets.

'Ik heb een tijdje schilderles genomen toen ik in Den Haag woonde,' zei hij. 'Maar ik raakte snel ontmoedigd. Ik was net opgehouden met werken en had nergens zin in. Ken je Den Haag?' Zonder op antwoord te wachten vervolgde hij: 'Een saaie stad. Niets te beleven. Ik ging iedere dag wandelen langs het strand. Verder deed ik niets. Naar muziek luisteren, in bed liggen, ellendig zijn. Toen ik last van hartkloppingen kreeg, stuurde mijn huisarts me naar een psycholoog. Een aardige man, hij deed me een beetje aan je vader denken, maar ik heb het geduld niet voor zo'n therapie. Bovendien gaan depressies meestal vanzelf over. Iedereen heeft wel eens een periode in zijn leven dat hij het niet meer ziet zitten...'

'Ja,' zei Julia zacht. 'Dat is zo.'

Plotseling stuurde Marius de boot in de rietkraag, trok zijn schipperspet van zijn hoofd en kwam voor haar staan. 'Wat is er?'

'Niets.'

'Je bent somber.'

'Nee...'

'Voel je je niet goed? Zeeziek?'

Ze probeerde te glimlachen. 'Te veel zuurstof eerder. Ik ben duizelig.'

'Misschien heb je honger.'

'Nee, nee... Maar kun je het roer zo maar loslaten?' Voordat ze uitgesproken was had hij haar in zijn armen genomen. Niet overweldigend, eerder vriend-schappelijk, zoals je een kind of een zieke in je armen neemt.

'Je bent een kasplantje geworden,' zei hij. 'Je komt te weinig buiten, je zit altijd opgesloten in dat atelier van je.' Zijn lippen raakten bijna haar wang, zijn handen streelden haar rug. Ze gaf geen antwoord. Pijptabak en dieselolie. De boot deinde, de wind trok. Zij was het die ten slotte haar open mond op de zijne drukte. In de hoop zich te verschuilen achter zijn tanden, in de hoop zich te ankeren in zijn adem. Marius streelde over haar gezicht, volgde de lijn van haar kaak met zijn vinger, omvatte haar nek. Rust en beweging tegelijkertijd, ging het door haar heen. Maar was het wel liefde wat ze voor hem voelde?

Zonder te vragen of hij mee naar binnen mocht liep hij met de fles chablis onder zijn arm achter haar de gang van het huis in. Nadat ze de voordeur dicht gedaan had, zei hij vrolijk: 'Een glas wijn, een haardvuur en jou naast me. Dat is alles wat aan mijn geluk ontbreekt.' Hij sloeg zijn arm om haar middel en vervolgde: 'En ga nou niet de mooie glazen afwassen. Ik wil niet meer op visite zijn. Waar is de kurkentrekker?'

'De kurkentrekker?' Alsof ze opeens de weg niet meer wist, alsof zij nu op bezoek was.

Marius schoot in de lach en ging naar de keuken.

'Ik drink misschien liever rode wijn,' zei ze toen hij in een van de laden begon te rommelen.

'Ook goed.'

Julia trok de deur naar de kelder open. 'Haal maar iets. Ik weet niet precies wat er staat. Papa ging over de wijn…'

Met behoedzame passen ging hij het steile trapje af. 'Mijn god,' hoorde ze hem na een tijdje zeggen. En toen luider: 'Hoe lang ben je hier niet geweest?'

'Jaren,' antwoordde ze zacht en pakte onderwijl de glazen uit de kast.

Marius kwam pas weer te voorschijn nadat ze het vuur in de haard in de zitkamer had aangestoken. Met twee stoffige flessen in zijn hand. Er zat spinrag op zijn schouder. 'Dit huis is vol verborgen schatten,' zei hij.

Hij leek groter opeens. Meer aanwezig. Of kwam dat doordat ze nog steeds de warmte van zijn handen op haar huid voelde? Zijn lippen op de hare? Ze zag niet dat de katten zich half onder de commode hadden verstopt; ze zag niet dat de lege theekopjes van de vorige keer er nog stonden.

'Een Château LaTour uit 1982 en een Lynch Bages uit 1990.' Voorzichtig veegde hij het stof van de flessen en hield ze voor haar omhoog.

Ze bestudeerde de bruin geworden etiketten. 'Ik weet niet veel van wijn. Die uit 1982 is waarschijnlijk beter op dronk.'

'Een juweel.' Hij ging voor de haard op het oude berenvel zitten en maakte de LaTour open. Nadat hij de glazen had ingeschonken, hief hij zijn glas tegen het licht van het vuur, liet de wijn zachtjes ronddraaien. 'Sinds 1855 een *premier cru*. Moet je zien wat een volheid. Purper. Violet. Als een robijn. Als bloed...'

Julia knielde naast hem, maar had geen oog voor de dieprode kleur van de oude Bordeaux. Ze keek naar de schaduwen op Marius' gezicht, naar de gloed op zijn haar, het spel van de vlammen op zijn wangen. Hij merkte het niet; vol bewondering bleef hij naar de inhoud van zijn glas staren. Toen hij ten slotte een eerste slok nam, sloot hij zijn ogen. Een gezicht als van marmer, dacht ze. Glad, koel, blind. Als een werktuig van de liefde was haar blik. Ze bracht zijn schoonheid tot leven, bevrijdde de gratie die in hem school.

Zijn ogen openden zich donker en afwezig. 'Cassis, aarde, hout,' mompelde hij. 'Iedere grote wijn heeft zijn eigen karakter, leert je iets anders.'

'En wat gaat deze wijn je leren?' vroeg Julia een beetje spottend nadat ze gedronken had.

Marius aarzelde. 'Verzoening. Berusting, hoop ik...'

'Amen,' lachte ze en dronk opnieuw.

'Je drinkt te snel, dat is jammer.' Hij boog zich voorover om haar te kussen. 'En bovendien word je dronken zo.'

'Als je drinkt, als je weer drinkt en als je nog meer drinkt totdat je erbij neervalt, dan raak je voor altijd bevrijd,' antwoordde ze.

'Hoe kom je daaraan?'

'Dat zei mijn vader altijd.'

'Je vader?' Hij schonk haar glas bij. 'Wat zou je vader zeggen wanneer hij ons hier zo zou zien zitten? Zou hij tevreden zijn?'

'Tevreden?' herhaalde Julia verbaasd. 'Waarom tevreden?'

Zonder te antwoorden trok hij haar in zijn armen.

'Niet te snel...' zei ze toen hij haar hemd begon open te knopen. 'Langzaam.'

'Ja, heel langzaam,' antwoordde Marius met een glimlach.

'Hic est Draco caudam fuam devorans,' klonk de stem van haar vader opeens. Of was zij het zelf die deze woorden sprak?

'Wat?' vroeg Marius hees. 'Wat?'

'Ziehier de draak die zijn eigen staart verslindt...'

Tussen de koele strakke lakens, die naar vocht roken, beminden ze elkaar. In haar kinderkamer, waarin ze nooit kind was geweest. In een nog door lust onbeslapen bed. De kamer van een non, dacht ze toen ze de volgende ochtend haar ogen opende. De kuise cel van haar vergeten dromen. Maar vannacht waren al die stille gebeden luid uitgesproken. In hese woorden, in geile kreten. Twee kronkelende lichamen bij maanlicht. Maar zonder haast, zonder ongeduld. Zoekend naar de juiste vorm, naar de ideale positie om elkaar te schouwen, te doorgronden. Ze hoopte dat woorden overbodig zouden zijn, maar na afloop vroeg Marius of ze genoten had. Of hij er iets van 'terecht-gebracht' had. Na haar bevestigende antwoord krulde hij zich als een kind tegen haar aan en viel in slaap. Een man als alle mannen, ging het door haar heen. Zoals zij waarschijnlijk een vrouw was als alle vrouwen.

'Tot straks,' zei Marius toen hij na het ontbijt afscheid van haar nam, met een vanzelfsprekendheid alsof ze al jaren bij elkaar waren. Julia wist niet wat te antwoorden en knikte hem toe. Zodra hij wegreed, deed ze de voordeur dicht en liep onrustig door het huis, met de katten op haar hielen, verongelijkt miauwend. Ze inspecteerde de zitkamer, de keuken, de slaapkamer, alle vertrekken waar ze samen geweest waren. Om te kijken hoeveel terrein hij gewonnen had? Ze rook even aan het kussen waarop Marius geslapen had, aan de handdoek waarmee hij zich afgedroogd had. Zijn lichaamsgeur deed haar onderbuik golven, haar tepels trekken. Had hij nu al bezit van haar genomen? Na één nacht? Na één enkele vrijpartij? Terwijl ze maandenlang iedere nacht had doorgebracht in de armen van Johan zonder hem ooit te missen tijdens de uren die ze niet bij elkaar waren. Ze drukte de handdoek tegen haar gezicht en liet zich achterover op het nog opengeslagen bed vallen. Was ze verliefd? Onmiddellijk sprong een van de katten boven op haar. Spinnend. Tevreden. Tot straks, had Marius gezegd. De Lynch Bages uit 1990. Uit zijn mond zou ze drinken, lauwe aarde op haar lippen, tropisch hout op haar tong. En bij de grillige schadu-

wen van het vuur zou hij haar weer beminnen. Langgerekt, uitgestrekt. Nee, ze was niet verliefd. In en uit
haar schede. Draaiend, dansend, spelend. In het ritme van een nieuwe tijd.

De liefde bedrijven, had Papa het genoemd. Hij had
meer dan eens laten doorschemeren dat hij het graag
deed. Of graag gedaan had in ieder geval. 'De liefde!'
Met die donkere vlammende ogen van hem. Zelfs aan
het einde van zijn leven sprak hij erover. Maar nooit
in obscene termen, nooit schunnig of plat. Seks was
als het genieten van muziek, als het bezichtigen van
een meesterwerk – een esthetisch genoegen.

'Nee Julia… Nee,' riep haar vader uit. 'Je begrijpt er
niets van.'

Ze trok de handdoek van haar gezicht en keek de
kamer rond. Het was gaan regenen, de druppels tik-
ten gestaag tegen de ruit. Ze knipte het lampje naast
het bed aan en trok een van de kussens in haar rug.
Waar had ze niets van begrepen?

'Liefde en seks zijn toch twee verschillende dingen,'
vervolgde hij. 'Seks is lust, is een biologische behoefte; wat jij net voelde toen je die handdoek van Kruger
tegen je gezicht hield. "De hu hebben" noemde mijn
generatie dat. Maar liefde is wat jij een tijdje geleden
een verlangen noemde. Weet je nog? Een amalgaam.'

'Maar daar was jij het niet mee eens.'

'Jawel, het is een verlangen, maar het is bovenal een
kracht die je ertoe aanzet betekenis aan het leven te
geven.'

'Een kracht? Wat voor een kracht.' mompelde Julia terwijl ze de kat met lange slagen over zijn rug aaide.

'Het doel van seks is bevrediging en ontspanning, terwijl liefde het tegenovergestelde beoogt: expansie, steeds verder gaan, steeds meer ontdekken.'

'En waarom zou seks daar geen uiting van kunnen zijn?'

'Het kan een middel tot zulk soort expansie zijn – er is een oud Chinees spreekwoord dat zegt dat copulatie de menselijke vorm is van het kosmische proces – maar geen...'

'Copulatie!' riep Julia hem na.

'Van *copulatio*, verbinding, samensmelting.'

'Maar wat betekende «de liefde bedrijven» dan voor jou? Je had het er tenslotte regelmatig over.'

Haar vader begon te lachen. Alsof hij zich betrapt voelde, alsof zijn dochter hem in verlegenheid had gebracht. Na een tijdje schraapte hij zijn keel en vervolgde ernstig: 'Er is niets mis met het bevredigen van je biologische behoeften. Een mens moet tenslotte ook eten en drinken, maar echt interessant wordt het pas wanneer je die behoeften weet te gebruiken als middel om iets te leren... Iets te creëren, zoals je wilt.'

'Een kind?'

'Nee nee, dat was niet wat ik bedoelde.'

'Kunst?'

'Ja natuurlijk, maar dat is niet voor iedereen weggelegd.'

'Wat creëer je dan wel wanneer je geen kunstenaar bent?'

'Betekenis aan je leven, door kennis en initiatie.'

'Hoe dan?'

'Door ervaringen bijvoorbeeld. Toen Kruger die oude LaTour van mij dronk, zei hij dat het hem iets leerde, toch? Zo is het met veel dingen.'

Julia zweeg. Ze keek naar de zwiepende takken van de bomen in de tuin, naar de voorbijrazende wolken. Het leek alsof de winter was teruggekeerd, alsof het prachtige weer van de afgelopen week een uitspatting was geweest waarvoor de natuur nu gestraft werd.

'Maar Papa, wat heeft dat allemaal nog met liefde te maken?' vroeg ze na een tijdje.

'Alles! Want uit wat wij liefde noemen, komt dat verlangen voort om verder te gaan en betekenis te geven.'

'Daar heb je dus eigenlijk geen ander voor nodig?'

'In eerste instantie wel. Eros is de motor, de drift die het proces in werking stelt. Zoals ik al eerder zei, hij is de schakel tussen het goddelijke en het menselijke.

'Ik geloof niet in het goddelijke,' antwoordde Julia.

'Ik heb het over het goddelijke als metafoor.'

'Metafoor van wat?'

'Van geïdealiseerde eigenschappen; van zowel de behoefte van de mens zichzelf te ontstijgen, als van zijn behoefte tot eenheid met een ander.'

'Maar die eigenschappen bestaan dus niet?'

'Ze bestaan in zoverre we erin geloven. Noem Eros de ambitie die ons ertoe aanzet te handelen naar ons geloof in die eigenschappen.'

'Zoals wat?'

'Schoonheid, waarheid, vervulling, creativiteit... wat je maar wilt.'

'Hmm.' Julia duwde de kat van zich af en ging op de rand van het bed zitten. 'Eros is dus een vorm van vitaliteit. Een drang om zin te geven, om eenheid te bereiken.'

'Precies.'

'En tussen twee mensen?'

'Daar begint het allemaal mee, de onweerstaanbare behoefte één te worden, samen te zijn, in elkaar op te gaan. Eros heeft weliswaar ook nog een andere kant maar...'

'Met seks als een van de middelen om dat te bereiken?' viel Julia hem lachend in de rede.

'Waarom niet? *Copulo, copulus, copulare.*'

Toen Julia later op de dag de lichten in haar atelier aandeed en het blauwe stoflaken van het platform wegtrok, bleef ze vol verbazing voor het beeld staan. Er was opeens geen twijfel meer over mogelijk. Het marmer had zijn eigen definitieve vorm gekozen, had zichzelf brutaalweg een naam gegeven. En wat voor een naam! Scherpe lijnen, harde hoeken, haast als uit een grove mal gegoten. Nieuwsgierig begon ze met haar vingers het oppervlak strelen. Was deze ruwe kopie haar werk geweest? Zo scherp, zo hard? Maar de ziel was er. Onmiskenbaar. En achter die nog ongepolijste hoeken leek iets te bewegen. Een wakkerend licht, een eerste ademtocht. Als het ritselen van de wind achter een gordijn, als de lokroep van een ingesloten sirene. Niet kijken, niet denken, dacht Julia terwijl ze vlug haar gereedschap oppakte. Blind die tonen volgen en de marmeren sluier die hen nog van elkaar scheidde zo snel mogelijk oplichten.

HOOFDSTUK 5

'Qui tollis peccata mundi ...' Marius begon plotseling met de muziek mee te zingen. Zijn zware basstem vibreerde in Julia's oor, in haar neus, in haar mond. Ze zoog de woorden uit zijn keel, inhaleerde de melodie uit zijn longen, dronk Bachs *Hohe Messe* van zijn lippen. En zij die nooit gezongen had, zij die van kind af te beschaamd en te verlegen was geweest om zelfs maar een lullig sinterklaasliedje te zingen, zong met Marius en de muziek mee. 'Miserere nobis ...' In één zucht. Maar was het wel haar eigen stem die ze hoorde? Bach vermengde zich met hun lichaamsgeur, met het gefilterde licht onder de lauwe lakens, met het zingen van de vogels in de tuin en werd ten slotte één met de cadans van hun liefdesspel. Zonder crescendo, zonder orgasme. Ook nadat de muziek al lang opgehouden was.

Dagenlang brachten ze in bed door. Ze praatten, luisterden naar muziek, sliepen, dronken wijn, beminden elkaar. Haar meisjeskamer was tot boudoir geworden, haar gedisciplineerde leven tot bacchanaal.

Dag en nacht sloten aaneen zoals het onderscheid tussen haar eigen lichaam en dat van Marius vervaagde. Hij viel in haar in slaap; zij dronk Chassagne-Montrachet uit zijn mond. Zijn hand was haar hand, haar been was zijn been. Een wake van de liefde. Maar het was een liefde zonder gedrevenheid, zonder koorts. Hun lust naar bevrediging en plezier was inmiddels gestild en wat nu overbleef was de wens samen te smelten. *Copulatio*, zoals Papa het genoemd had. Verbonden zijn in een staat van continue vervoering, zonder pieken en dalen, zonder extase en uitputting. Nauwelijks fysiek.

'Ben je eigenlijk katholiek van huis uit?' vroeg Julia toen Marius het tweede deel van de *Hohe Messe* opzette.

'Nee, en dat was Bach ook niet.'

'Maar hij was wel religieus.'

Marius schonk het laatste bodempje Chassagne-Montrachet in en reikte haar het glas aan. 'Misschien. Maar voor mij heeft Bachs muziek niets met religie te maken.' Hij kwam weer naast haar in bed liggen en sloeg zijn arm om haar heen. Ze luisterden zwijgend naar het credo.

'Mooi,' zei Julia.

'Ja, en dat is het enige belangrijke. Het geeft je plezier, meer niet.'

'Je kunt je ook nog afvragen waarom het je plezier geeft.'

'Ja, en de verklaring is simpel: ons vermogen muziek te appreciëren is onderdeel van het genetisch materiaal van de hersenen. Een overblijfsel van een inmiddels achterhaald overlevingsmechanisme. Een vorm van communicatie, zoals bij vogels bijvoorbeeld.'

'Hmm.' Julia dacht even na, gaf Marius het bijna lege glas en kwam half overeind. 'En hoe verklaar je dan dat niet iedereen dezelfde muziek mooi vindt?'

'Over het algemeen vindt iedereen wel degelijk dezelfde muziek mooi. Er was eens een programma op de BBC waarin ze een onderzoek deden naar wat voor soort muziek mensen het meest raakte. *The tingle factor*, noemden ze dat. En het bleek dat het merendeel van de ondervraagden muziek koos die treurig, elegisch, bekend en traditioneel was. Mozart, Bach, Beethoven, aria's van Puccini en Bizet. Veelal vocale werken. Zang raakt ons meer dan instrumentale muziek. Ze denken dat het de plotselinge veranderingen in harmonie of voorspelbare modulaties zijn die zo'n *tingle* geven. Het heeft iets orgastisch – spanning en ontspanning – en dat geeft een geluksgevoel.'

'Aha! Het heeft dus allemaal weer met seks te maken?' riep Julia uit.

'Nee hoor, eerder met de specifieke geluiden die dieren maken wanneer ze hun moeder kwijt zijn en wanneer ze haar vervolgens weer gevonden hebben. Spanning en ontspanning. Ik had een vriend die een leguaan had die helemaal opgewonden werd van de stem van Maria Callas. Een Amerikaanse psycholoog ontdekte dat kippen uit hun bol gingen bij muziek van Pink Floyd.'

'Jij hebt eigenlijk overal een verklaring voor,' zei Julia.

'Ik ben een veelweter. Zo iemand die van alles een beetje weet en van niets genoeg.'

Ze glimlachte. 'Heb je het ooit met mijn vader over muziek gehad?' vroeg ze na een tijdje.

'Ja, we hielden beiden van Bach, maar voor meneer Boyer was muziek, vooral zang, gregoriaans en zo, een middel tot spirituele bewustwording. Hij had hele theorieën erover, beïnvloed door de Indiase filosofie. Ik weet niet meer precies. Nogal zweverig allemaal.'

'Maar Papa was helemaal niet religieus,' zei Julia. "Religie is voor de bediendes," was zijn devies.'

'Lieve schat,' lachte Marius. 'Je vader was een mysticus. Een theoretisch humanist. Religie, in welke vorm dan ook, was voor hem de weg naar de bron. Een weg die de mensheid volgens hem kwijtgeraakt was en terug moest zien te vinden. De manier waarop de mensheid dat deed, maakte hem niet veel uit. Zolang het maar niet fanatiek of intolerant was. Dat was zo aardig van meneer Boyer; hij interesseerde zich voor alles en stond open voor de gekste dingen.'

'En jij?' vroeg ze.

'Ik ben helaas nogal nuchter, een echte water-en-zeepjongen. No-nonsense.'

'"Vocatus atque non vocatus deus aderit," zei Papa altijd. Aangeroepen of niet aangeroepen; het goddelijke zal aanwezig zijn,' zei Julia.

'Hmmm,' mompelde Marius, terwijl hij haar tepel met zijn lippen beroerde. 'Laten we hopen dat hij gelijk heeft...'

Het was nacht. Marius had voor het eerst zijn rug naar haar toe gekeerd. Zijn gezicht tegen de muur, zijn armen over zijn borst gekruist. Hij ademde zwaar, snurkte zo nu en dan een beetje, mompelde iets. Julia kwam half overeind en trok het laken van hem af. Met de blik van een kenner monsterde ze zijn vormen. Professioneel. Alsof ze in een museum voor een beeld stond. Zijn hals, zijn krullen, zijn biceps, de welving van zijn rug, zijn lange benen. Na vier dagen intimiteit was hij opeens weer een ander geworden, een vreemde. 'Marius Kruger.' Ze proefde de klank van zijn naam. Kardamom. Een exotische specerij die ze niet kende. Een bitterzoete smaak waarover ze zich verwonderde. Wat deed hij hier? Wat wilde hij van haar?

Galopperende pootjes klonken in de gang, doffe plofjes op het parket. Julia opende de slaapkamerdeur en sprak de katten fluisterend toe. Hun melkkleurige vacht lichtte op in de duisternis. Vijf witte vlekken aan haar voeten. Klaaglijk miauwend, vol verwijt, alsof ze al die dagen op haar gewacht hadden.

'Ssttt.' Ze pakte haar kamerjas uit de kast. 'Allez, naar beneden.' In de keuken opende ze in het donker een blik poezenvoer, zette de vuile afwas aan de kant en stak een sigaret op. Het was tien voor vijf. Ze opende het keukenraam en snoof de klamme lucht op. Een vrachtauto passeerde op de snelweg, daarna was het weer stil. Alleen het tikken van de klok, het gesmak van de katten boven hun etensbakjes, het zuchten van de wind in de boomtoppen. Het is zomer geworden, dacht Julia. De jasmijn geurde bedwelmend, de kamperfoelie was tot halverwege het raam opgeschoten, zelfs de buxushaag leek voller te zijn geworden. Gebruikmakend van haar afwezigheid had de tuin zich getransformeerd. Heimelijk, stiekem, terwijl zij met Marius in bed de tijd had doorgebracht. Voor het eerst in zes jaar is de overgang van lente naar zomer me ontgaan, ging het door haar heen. Voor het eerst sinds ze op Oude Stein woonde. De gedachte aan de bloeiende jasmijn en de klimmende kamperfoelie en alle andere planten die in de afgelopen dagen gegroeid waren, vervulde haar met paniek. Een gevoel alsof ze over een reling boven een peilloze diepte leunde. De angst om iets te verliezen. Een ring, een horloge, een sleutel. Zichzelf.

Op de drempel van haar atelier aangekomen liet ze haar kamerjas op de grond glijden. Steengruis onder haar blote voeten, stof aan haar handen. De vertrouwde geur van wierook en waskrijt. Hier was gelukkig alles hetzelfde gebleven. Ze beklom langzaam het platform en bleef vlak voor het beeld staan. Twee naakte schimmen in de beginnende schemering. Wit. Dof. Zonder contrast. Zonder ogen. Ze kon het koude marmer voelen zonder het aan te raken. Een bries die haar tepels deed spannen, die haar buik deed golven. Als de nabijheid van water, als een verborgen bron. Maar toen ze het beeld omhelsde en haar vingers liefdevol over het gladde oppervlak liet glijden, merkte ze dat het steen niet koud was. Lauw warm eerder, niet veel koeler dan haar eigen lichaams-temperatuur.

Voorzichtig begon ze de smalle marmeren lippen te kussen en zocht met haar tong een weg in de ruwe mondopening. Mond op mond. Dieper en dieper. Krachtig blies ze ten slotte haar adem in de nog on-gevormde holte. In en uit, net zo lang totdat een ge-luid haar plotseling verschrikt opzij deed springen. Ummmmmm. Had zij die vreemde monotone klank voortgebracht? Een van de katten soms? Een bron-stig hert in het bos?

'Umm,' hoorde ze Papa's stem brommen. 'Umm.' Alsof hij voor zichzelf iets neuriede, alsof hij binnens-monds een liedje zong. Na een tijdje zei hij verma-nend: 'Je vat kou zo, Julia.'

Ze kwam van het platform af en raapte haar kamer-jas op. Het was licht geworden. De eerste zonnestra-len schenen door het struikgewas, kropen over het grasveld, weerkaatsten tegen de op de grond gevallen glasplaten van de oude kas. 'Het is opeens zomer...'

'Ja, seizoen van Apollo,' antwoordde haar vader.

'Zonnegod?' vroeg ze afwezig.

'Nee, oorspronkelijk niet. In de *Ilias* is hij verbonden met de maan. Een van de wraakgoden... Meesterboog-schutter; gewelddadig, trots. Pas later krijgt hij ook de betekenis van god van de zon. Er zijn weinig goden aan wie zo veel, vaak tegenstrijdige, kenmerken worden toegeschreven als aan Apollo: inspiratiebron van dichters, beschermer van herders, van krijgers, pro-feet van Zeus, heelmeester, temmer van wilde dieren, uitvinder van de muziek. Je zou hem beter de god van de synthese, van de harmonie kunnen noemen. Plato noemt hem de god die zich in het centrum van de aar-de heeft geplaatst om de mensheid te sturen...'

Julia had zich weliswaar naar de lege canapé ge-draaid, maar ze luisterde niet echt naar wat haar vader zei. Alleen die diepe bromtoon hoorde ze. Ummmm. Aummmm. Soms iets hoger, dan lager. Nogal monotoon. Maar niet onprettig. Zijn stem was weer tot achtergrondgeluid geworden. Wat Marius verteld had over de *tingle factor* schoot haar te binnen: bepaalde tonen die je een geluksgevoel geven. Papa's gebrom had dat effect. Vertrouwd. Geborgen.

Rokend liep ze om het beeld heen, bekeek haar werk, bedacht wat ze nog doen moest. De rug was niet goed. Te hoekig, te hard. Niet gestroomlijnd. Ze dacht aan Marius in bed; hoe de welving van zijn billen was, hoe zijn nek in zijn schouderbladen overging, hoe zijn ruggengraat uitstak. Niet als de man die haar bemind had maar als object dacht ze aan hem, als een ander beeld dat ze in gedachten vergeleek met de marmeren figuur op het platform. Meedogenloos ieder gebrek, iedere imperfectie analyserend. Nog steeds een kei in anatomie, net als vroeger op de kunstacademie.

'Julia, je luistert niet.'

'Jawel, natuurlijk wel... Ik ben een en al oor.'

'Je bent waarschijnlijk meer geïnteresseerd in Eros deze dagen,' zei haar vader op ironische toon. Toen ze niet reageerde en alleen haar schouders ophaalde, vervolgde hij: 'Of vergis ik me? Ben je het copuleren nu al moe?'

Ze schoot in de lach en plofte neer in een van de stoelen tegenover de bank. 'Misschien wel... Maar wat dan nog? Copuleren was tenslotte maar een van de manieren om het door-Eros-bezeten-zijn uit te drukken. Er was ook nog creatie en kennis en de behoefte jezelf te ontstijgen.'

'Bezeten,' herhaalde Papa peinzend en toen: 'Weet je, Eros was in de Griekse mythologie niet alleen de zoon van Aphrodite, het koddige engeltje met pijl en boog, maar ook de zoon van Chaos. Dat is zijn andere kant, waarover ik het eerder had. Een oerkracht die zowel creëert als kapotmaakt. Zoals de natuur – zowel vitaal als destructief.'

Julia keek naar de katten die zich warmden in de

helle zonneplekken op de vloer. 'Die andere kant van Eros heeft dus niets meer met liefde te maken.'

'Natuurlijk wel! Eros is niet alleen verliefdheid, – de wens in elkaar op te gaan –, maar ook weerzin, rebellie tegen die verbondenheid. Je verliest tenslotte een deel van jezelf, je verliest je onafhankelijkheid.'

'En welke kant wint?'

Haar vader zweeg even. 'Dat verschilt van geval tot geval,' antwoordde hij aarzelend. 'Ik denk dat er drie mogelijkheden zijn: of de drang tot eenwording wint, met alle complicaties die zo'n symbiotische passie met zich meebrengt; of het onvermogen jezelf te verliezen wint en dan word je onherroepelijk teruggeworpen op jezelf; of, waarschijnlijk de meest harmonieuze oplossing, je ziet kans zowel je eigen individualiteit als de intimiteit met de ander te waarborgen.'

'Was dat zo tussen jou en Mama?' vroeg Julia ironisch.

'O nee! Je moeder had geen enkele belangstelling voor Eros! Plicht en eer, daar draaide het om in haar leven.'

'Hmm.' Julia dacht even na. 'Onherroepelijk op jezelf teruggeworpen, zei je?'

'Ja. Alsof een zwaard alle banden met de wereld, met onwetendheid, doorsnijdt. Je staat alleen. Of denkt alleen te staan.'

'En dan?'

Haar vader lachte. 'Dan? Dan is het plotseling zo-

mer geworden. Het seizoen van Apollo; een stap verder...'

'Maar wel weer alleen,' zei ze zacht.

'Nee, op jezelf teruggeworpen maar een onderdeel
van een groter geheel.'

'Het goddelijke zeker?' Met een zucht stond ze op
en liep met over elkaar geslagen armen door het vertrek. 'Papa, wat moet ik nou met al die fabels? Eros,
Apollo? Goden en demonen? Allemaal bedenksels.
Literatuur. Meer niet. Het is natuurlijk best interessant, maar...'

'Je wilde toch geen alchemische recepten meer?'

'Nee, daar begrijp ik nog minder van.'

'Wat ik je nu vertel komt op hetzelfde neer. En het
zijn geen fabels, maar mythen, symbolen die uit de
meest uiteenlopende culturen zijn ontstaan. Ankers
van de mensheid. Wegwijzers om zin aan het leven te
geven.'

Julia dacht aan wat Marius haar had gezegd. Een
water-en-zeepjongen. En zij? Ze wist eigenlijk niet
wat ze dacht. Haar ideeën waren onuitgesproken,
niet beredeneerd, een integraal deel van haar hele wezen.

Het was alsof haar vader haar gedachten raadde,
want hij vervolgde: 'Julia, het maakt niet uit welke
ankers, welke wegwijzers je kiest, zolang je je maar
niet beperkt! Denk aan wat Kruger zei over het drinken van mijn Château LaTour. Een ervaring die je iets
leert, dat is waar het om gaat. En zulk soort ervarin-

gen vind je in alles; in mythen, in exacte wetenschap, in religie, in kunst, in relaties tussen mensen, in wat je maar wilt. Maar wees alsjeblieft niet zo dom iets uit te sluiten. Kijk, luister en...'

'Het idee van Apollo volgt dus op Eros?' viel Julia hem in de rede. 'Na het verlangen een te worden en de chaos en eenzaamheid die die drang met zich mee-brengt, vind je jezelf terug door...

'Synthese en harmonie.'

'Julia?' Marius' stem galmde door de gang. 'Ben je daar?'

Ze joeg vlug de katten voor zich uit en trok de deur van haar atelier achter zich dicht. 'Ja, ik kom.'

'Je was opeens verdwenen.' Hij stond in de hal met alleen zijn spijkerbroek aan. 'Ik miste je.'

Ze liet haar hand over zijn naakte borst glijden. 'Ik had zin om te werken.'

'Ik dacht dat je telefoneerde. Ik hoorde je praten.'

'Nee, misschien tegen een van de katten. Zal ik theezetten?'

Marius gaf geen antwoord.

'Wat is er?'

'Niets, lieve Julia.' Hij opende de voordeur. 'Niets. Een nare droom, geloof ik.' Met een tevreden zucht ging hij op een van de treden van het bordes in de zon zitten. 'God, wat is het hier mooi! Denk maar niet dat ik werkeloos ga zitten toekijken hoe ze hier een nieu-we wijk bouwen! Ik heb er al met Joep over gesproken, die heeft natuurlijk zijn eigen belangen te behartigen, maar ik denk dat hij wel iets kan doen. In ieder geval wat het huis aangaat...'

'Heb je gezien dat je rozen bloeien?' viel ze hem in de rede en ging naast hem zitten. 'Je wondermiddel heeft ze gered.'

'Ja, maar de clematis heeft het niet overleefd, geloof ik.'

Ze sloeg haar arm om zijn middel, streelde zijn rug.

'Julia,' begon Marius ernstig en pakte haar hand. 'Ik ben je ontzettend dankbaar voor wat je me geeft. Je maakt me heel gelukkig.'

'Je maakt mij ook gelukkig,' antwoordde ze zacht.

'Vannacht zei je dat je van me hield... Meende je dat?'

Julia aarzelde even. 'Ja.'

Plotseling wendde hij zijn hoofd naar haar, zijn kin dicht bij de hare, zijn blik strak op haar ogen gericht. 'Dan ga ik niet meer weg.'

Ze probeerde te glimlachen, maar wist niet wat terug te zeggen. Zijn stem had te dreigend geklonken, niet de stem van iemand die een liefdesbekentenis doet.

'Schrik je daarvan?' vroeg hij en drukte zijn mond tegen haar wang. 'Maak ik je bang?'

'Misschien wel.'

'Vanwege je werk?'

Ze knikte ontwijkend.

'Lieve schat!' lachte hij. 'Ik beloof je plechtig dat ik

je nooit van je werk zal houden. Iedere ochtend ga ik tennissen en 's middags werk ik in de tuin.' Liefdevol nestelde hij zich tegen haar aan, sloeg strak zijn armen om haar heen. 'Maar ik hoop natuurlijk wel dat je me je beelden laat zien. Ik wil weten wat je maakt; je werk is een deel van je dat ik nog niet ken...'

Toen ze geen antwoord gaf, vervolgde hij vrolijk: 'Weet je wel hoe uniek je bent? Hoe onmisbaar beeldend kunstenaars in de wereld zijn?'

Julia schudde haar hoofd. 'Romantische prietpraat, Marius. Ik haat het woord "kunstenaar" bovendien. Beeldhouwen is een ambacht. Ik dacht dat je een water-en-zeepjongen was?'

'Ben ik ook. Maar dat neemt niet weg dat ik de unieke visie van een kunstenaar diep kan bewonderen.'

'Unieke visie.' herhaalde ze spottend en moest onmiddellijk denken aan wat Papa over de Egyptische beeldhouwkunst had gezegd. Het onuitsprekelijke uitspreken, de eeuwigheid fixeren. 'Onzin,' mompelde ze nauwelijks hoorbaar.

'Lieverd, geen onzin. Jij hebt, in tegenstelling tot veel anderen – of dat nu door inhibities komt of niet – het vermogen je levensgevoel op visuele wijze uit te drukken. Je moet niet onderschatten wat anderen daarvan kunnen leren. Je houdt mensen een spiegel voor, een te ontwarren raadsel in symbolische taal. Als een sfinx, een sybille.' Hij keek haar met een triomfantelijke blik aan.

Ze schoot in de lach. 'Je praat net als Papa.'

'Je vader was mijn leermeester en ook al ben ik het niet in alles met hem eens, hierin had hij gelijk.'

'Vleier!'

'Nee, ik ben serieus!' zei hij opeens fel.

'Mijn werk heeft die kracht niet waarover je spreekt. In de zitkamer hangt een strandscène van Isaac Israëls. Neem die maar als spiegel.'

Beiden zwegen. Julia voelde zich ongemakkelijk. Achter Marius' vrolijkheid school boosheid en ongeduld. Iets bruusks, zoals hij tijdens een van zijn allereerste bezoeken had gehad. Ze pakte zijn hand en legde haar hoofd tegen zijn schouder in de hoop hun intimiteit van de afgelopen dagen te hervinden en zo de onaangename indruk die ze van hem had te doen verdwijnen. Ze vergiste zich, zei ze tegen zichzelf. Geen agressie maar teleurstelling uitte hij. Had hij haar niet destijds gezegd dat geduld niet zijn sterkste kant was? 'Als ik iets wil, dan wil ik het meteen...' En had hij bovendien niet duidelijk laten merken dat hij zelf ook artistieke ambities had?

Marius beantwoordde ten slotte haar liefkozingen. Nadat hij haar gezoend had, vroeg hij: 'Mag ik zelfs je atelier niet zien?'

'Nee,' antwoordde ze. 'Liever niet.'

'Maar waarom niet?'

Ze aarzelde. 'Nog niet.'

'En je zei dat je van me hield?'

'Ja, maar dit is het enige deel van het huis, van mijn leven, dat ik niet met je kan delen.'

'De rest wel?'

'De rest?'

'Ja, het huis, de tuin, de schuren... Het landgoed.'

Ze trok hem achterover op het zonovergoten bordes en opende haar kamerjas. 'Ja, natuurlijk,' zei ze. 'Natuurlijk.'

Toen ze bovenop hem ging liggen, slaakte hij een diepe zucht. 'Ummmmm.' Alsof hij zijn woorden inslikte, alsof hij zichzelf tot zwijgen dwong.

HOOFDSTUK 6

Marius kwam de volgende dag terug met drie grote koffers. 'Dit is bijna alles wat ik heb,' zei hij terwijl hij de kleren, boeken, cd's en andere bezittingen op het bed uitstalde. 'Geen erfstukken, zoals jullie. De familie Kruger had geen geld voor mooie spullen.'

'Maar je werkte toch?'

'Dat is al even geleden. En ik geef bovendien een klein bedrag per maand aan mijn zusje. Die krijgt haar leven ook al niet op de rails.'

Julia reageerde niet. 'Je kunt het beste je kleren in de kast in de gang leggen. Daar is ook plaats om dingen op te hangen,' zei ze.

Marius knikte en streek zijn overhemden glad.

'Je bent heel netjes...'

'Ja, op het neurotische af zelfs,' antwoordde hij. 'Volgens Joep die psycholoog is, lijd ik aan een milde vorm van smetvrees.'

'Nou, dan staat je iets te wachten hier,' lachte ze.

Hij pakte haar hand. 'Maar ik mag toch wel opruimen?'

'Graag zelfs.' Ze was bang dat hij weer over haar atelier zou beginnen en voegde er snel aan toe: 'Als je wilt werken kun je de bibliotheek gebruiken. Of de eetkamer. Papa's bureau is een enorme bende, maar stop alle rommel maar in een lade.'

'Eerst de tuin. Daarna ruim ik de keuken op. Alles gezelliger maken.'

'Straks kan ik niet meer zonder je,' zei ze terwijl ze de kast opende.

'Kamfer,' mompelde Marius. 'Zoals bij mijn grootmoeder.'

Ze dacht dat hij haar niet gehoord had, maar nadat hij nogmaals zijn hand over de stapel had laten gaan, draaide hij zich naar haar om. Zijn tanden glinsterden in het halfduister van de gang. 'Dat is precies wat ik wil,' zei hij. 'Dat je niet meer zonder me kunt.'

Julia bleef even staan in de hal en luisterde naar zijn voetstappen in de bibliotheek. De tred van iemand die zich thuis voelt. Gedreven liep Marius heen en weer over de krakende parketvloer. Ze hoorde hem de gordijnen openschuiven, de ramen opengooien. Zijn stem. Praatte hij in zichzelf? Of las hij iets op uit een van Papa's boeken? Het was alsof hij naast haar stond, alsof er geen verdieping, geen trap, geen vloer tussen hen was. Hij was alom aanwezig. Zijn geur, zijn stappen, zijn stem vulden de ruimte en de kamers leken opeens kleiner, de gangen smaller. Minder oppervlakte, minder leegte.

'Dan ga ik niet meer weg,' had hij gezegd. Nu begreep ze dat zijn woorden geen bedreiging maar een vonnis waren. Hij ging niet meer weg. En of ze dat goed vond of niet was niet van belang. Julia liep naar haar atelier en dacht aan het zwaard waarover haar vader het had gehad. Het zwaard dat alle banden met de wereld doorsnijdt. Dat is waartoe Marius' komst haar had veroordeeld; ze was onherroepelijk op zichzelf teruggeworpen. Niet eenzaam, geïsoleerd, zoals de afgelopen vijf jaar, maar in het bijzijn van een ander. Marius' aanwezigheid dwong haar orde aan te brengen. Niet alleen in haar atelier, ook in haar gevoelens en gedachten. Ze moest erover nadenken wat ze precies wilde. Het probleem van het leven, zoals haar vader het noemde. Inhoud geven, richting kiezen, je wel of niet aan iemand committeren. Haar kluizenaarsbestaan was ten einde. De grot van de boeddhistische monnik was opengebroken en door het daglicht verblind zat hij nu tegenover de wereld.

En wat nu, vroeg Julia zich af. Beminnen en bemind worden? Ja. Tijdelijk. Maar haar werk ging boven alles. Achter gesloten luiken, ver van het ressentiment en kinderlijke ongeduld van Marius. Geheim, als de *Ars magna* van de alchemisten, waarover haar vader zo graag gelezen had. Verborgen. Maar was dat niet precies wat ze nodig had voor de vervolmaking van haar nieuwe project? Beperking van haar vrijheid, begrenzing van haar tijd. Synthese en harmonie. Dit was de zomer van Apollo.

Marius maaide het gras. Eerst had ze zich een beetje aan het geluid geërgerd, maar toen ze eenmaal aan het werk was overstemde het tikken van haar hamer al snel het geratel van de oude grasmaaimachine. Gestolen momenten. Een paar uur had ze maar. Ze moest voortmaken, niet aarzelen, niet ophouden vooral. Zelfs niet wanneer Papa tegen haar sprak, zelfs niet nu hij weer net zoals de vorige keer met zijn lieflijke geneurie haar aandacht probeerde te trekken. Ummm-pa-pa-ummm. Hij zei verder niets. Geen woorden, alleen dat zachte gebrom. Maar was het wel haar vader? Of was het niets meer dan het ritme waarin ze haar beitel over het marmeren oppervlak joeg? Ummm-pa-pa-ummm. Ummm-pa-pa-ummmm, hoorde ze. Links, rechts, links. De hals, de schouders, de torso. Vluchtige liefkozingen, zachte vermaningen. De laatste correcties. Zonder te hoeven kijken, zonder te hoeven nadenken. Onvermoeibaar werkte ze verder. Net zo lang totdat Marius ten slotte tegen een van de luiken klopte en haar toeriep dat hij thee gezet had.

'Ja, ik kom,' antwoordde ze zacht. Maar het ritme bleef gonzen. Umm-pa-pa-ummm, in haar hoofd, in haar ledematen, in haar longen. Ook nadat ze haar gereedschap had opgeborgen, ook toen ze door de gang naar de keuken liep. Ummm-pa-pa... Wat ze ook deed, waar ze ook was. Het gaf haar een vreemd gevoel van euforie. Alsof ze licht beschonken was, alsof ze koorts had.

'In navolging van Pythagoras onderscheidde Boëthius drie symbolische typen muziek,' zei haar vader.

'Wat zeg je?' Julia liep vlug naar het keukenraam om te kijken of Marius nog steeds buiten in de zon zat. Ja, hij rookte zijn pijp, de krant op zijn knieën, zijn benen voor zich uit gestrekt. Net zo tevreden als toen ze hem voor het eerst onder de lindeboom had zien zitten.

'De muziek van de wereld, de muziek van de mens, en de muziek van de kosmos.'

'O, hoor jij het dan ook?' vroeg ze.

'Wat?'

'Dat ritme. Ummm-pa-pa-ummm, de hele tijd.'

Haar vader gaf geen antwoord. 'De Kelten maakten eenzelfde onderscheid,' vervolgde hij. 'Maar de muziek van de kosmos noemden ze slaapmuziek. De muziek van síd, de andere wereld.'

'Slaapmuziek,' herhaalde Julia afwezig en zette de emaillen potten die Marius kennelijk had afgestoft terug op hun oude plaats.

'Ja, de muziek waarmee de goden de mensen in slaap wiegen.'

'Waarom?'

'Om ze een boodschap over te brengen, om ze te betoveren, te transformeren.'

'Door middel van muziek...'

'Ja, verbaast je dat?'

'Nee, het is een mooi idee,' antwoordde ze.

'In India is alle muziek, iedere klank, een uiting van

Shakti, het symbool van het vrouwelijke element en de kosmische energie. Er zijn hoorbare, subtiele, en onhoorbare of eigenlijk nog niet aangeslagen klanken. Het zijn de onhoorbare klanken, de *parâ*, die je het meeste leren, die de grootste invloed uitoefenen op je hart en je zo tot een ander niveau van bewustzijn brengen.'

Ummm-pa-pa-ummm, ging het opeens weer door haar hoofd. 'Papa, ik ben gek aan het worden,' viel ze hem in de rede. 'Zoals oom Nico, hoorde die ook niet dingen?'

'Is het een onprettig geluid?' vroeg hij na een tijdje.

'Nee, het geluid zelf is niet vervelend. Het is eerder aangenaam, als de basso-continuopartij van een barokconcert. Een ritme dat je begeleidt, dat...'

'Dat de tijd lijkt op te lossen en vervolgens bijna tot stilte wordt?'

'Ja. Ja,' antwoordde ze ongeduldig.

'En wanneer je werkt?' Toen ze geen antwoord gaf zei hij: 'Julia, je bent bang. Vroeger was je nooit bang.'

Ze haalde haar schouders op. 'Ik ben niet bang, ik vraag me alleen af wat het precies is.'

'Wat het precies is?' herhaalde hij. 'Vraag dat maar aan Kruger, die vindt er in de encyclopedie vast een mooie verklaring voor. Een zeldzame afwijking aan je trommelvlies of een overstimulatie van je zenuwstelsel, of zoiets.'

Ze bleef even zwijgend voor het raam naar buiten staan kijken. Marius had de overwoekerde deur van het portiershuisje open weten te krijgen en droeg nu een aantal kartonnen dozen naar buiten. Zijn pijp tussen zijn tanden. Gedreven. 'Nee,' zei ze ten slotte zacht. 'Ik vraag me niet af wat het precies is. Ik vraag me af wat het betekent.'

'Daar heeft Marius Kruger nog geen antwoord op, vrees ik,' zei haar vader.

'En jij?'

Hij lachte.

'Zeg dan...'

'Maar dat heb ik toch net gedaan, liefje...'

De katten bleven ondanks het mooie weer in het atelier. Ze speelden niet en zaten naast de deur. Hun oren gespitst, hun slanke lichamen klaar om aan te vallen. Alsof ze de wacht hielden, alsof ze het vertrek moesten verdedigen. Julia dacht dat het door Marius kwam, maar wanneer hij haar door de gesloten luiken toesprak, reageerden ze niet en bleven roerloos zitten. Soms zaten ze opeens op het platform, alle vijf, aan de voeten van het beeld. Net zo oplettend, net zo waaks. Met zwiepende staarten en ronde, donkere ogen. Pas wanneer ze aan het werk ging, kwamen ze weer in beweging en rolden zich tevreden over de zonverlichte vloer.

Al snel raakte hun verhouding in een patroon. Marius ging zijn eigen gang, Julia werkte. De openheid van die eerste dagen verdween (maar was dat wel echte openheid geweest, vroeg Julia zich af. Was het niet slechts een inhoudsloze uitwisseling, een verbaal ornament van wat Papa *copulatio* had genoemd?) Julia verbaasde zich soms over Marius' humeurigheid – vaak had hij een bezorgde en zelfs gekwelde uitdrukking op zijn gezicht – maar ze vroeg niet of er iets mis was. Eigenlijk interesseerde ze zich niet voor hem; ze verwachtte even weinig van zijn ontboezemingen als van de zogenaamde schatten die hij uit de kasten te voorschijn toverde. Ze praatten weinig en meestal over dezelfde onderwerpen: de tuin, Marius' herinneringen aan Papa en de convocatie van Rijkswaterstaat.

'Je moet je post openmaken,' zei hij steeds. 'Er zijn belangrijke brieven. We moeten eens rustig praten over wat je wilt doen...' Hij wist via zijn vriend Joep Beekman dat er beslissingen genomen waren betreffende het landgoed. Ze moest in actie komen, vond hij. Zich niet laten kisten. Julia negeerde hem, borg de post op en vermeed het onderwerp. Ze wilde zich niet verzetten, ze ging zich niet verlagen tot een nutteloze strijd met officiële instanties. Wanneer Marius in huis orde op zaken wilde brengen moest hij dat vooral doen, maar verder dan dat mochten zijn bemoeienissen niet gaan. Hij raakte geïrriteerd en noemde haar zonderling en onverantwoordelijk. Met dezelfde ingehouden woede in zijn stem als wanneer hij over haar atelier sprak. Verongelijkt, machteloos. En was dat niet precies de tragedie van Marius' hele leven, zei Julia tegen zichzelf. Altijd dingen willen die hem te machtig waren. Professor worden. Tenniskampioen. Schaakmeester. Kunstschilder. Heer van Oude Stein.

'Voel je me?' vroeg hij hees. Zijn stemgeluid verbrak de betovering, deed haar opschrikken uit de extatische sluimertoestand waarin hun liefdesspel haar gebracht had. Marius werd onmiddellijk een ander lichaam. Een vreemde. Stroeve dijen die haar heupen omklemden, droge handen die haar tepels kneedden, een vochtige mond tegen haar wang, een geslacht dat dwingend en te hard haar schede doorkliefde. Ja, ze voelde hem, en zichzelf, en de onoverbrugbare leegte tussen hen beiden ook. Marius' vraag was een vliegensvlugge guillotine die haar hoofd van haar lichaam scheidde. Klaarwakker was ze. Weg was alle begeerte.

'Voel je me?' vroeg hij nogmaals.

Ze wendde haar hoofd af zodat hij haar ogen niet zou zien. Heldere open ogen. Ogen die keken en luisterden en praatten. Ogen die door Marius heen een ander schouwden. Een dier? Een kind? Een mens? Een bewegende figuur in de diepte zag ze, een sierlijke witte schim die haar wenkte, die haar toesprak.

'Julia, Julia,' begon Marius te stamelen. 'Ik kom, ik...'

Maar ook toen hij haar naar zich toe trok, hield ze haar hoofd afgewend.

Ze dacht dat hij in slaap gevallen was, maar toen ze het bed uit stapte vloog hij overeind.

'Waar ga je naar toe?' vroeg hij.

Julia aarzelde.

'Toch niet naar het atelier?' Hij pakte haar vast bij haar pols.

'Ik heb iets bedacht. Iets wat ik even op papier uit wil werken.'

'Mijn god, Julia! Niet nu. Het is midden in de nacht.'

'Nou en?' Ze trok zich los en pakte haar kamerjas van de stoel.

Marius knipte het licht aan, zwijgend keek hij toe hoe ze zich aankleedde. 'Ik begrijp je niet,' zei hij. 'Nadat we net zo dicht bij elkaar waren, nadat we net...'

'Je hebt me geïnspireerd, je hebt me op nieuwe ideeën gebracht.'

'Geïnspireerd!' herhaalde hij en liet zich met een zucht in de kussens vallen.

'Ik ben zo terug,' zei ze. 'Een halfuur, niet langer.' Ze streek hem even over zijn hoofd.

'Betekent het dan niets voor jou? Intimiteit?'

'Natuurlijk wel.'

'Maar je werk is belangrijker...'

'Een halfuur, Marius, voordat je het weet lig ik weer naast je.'

Was het een halfuur? Een seconde, een uur, een nacht? Het moment was tijdloos. Zodra ze het atelier binnenkwam hervond ze de extase waaruit Marius haar zojuist met zijn vraag opgeschrikt had. Dezelfde ritmische klanken, dezelfde koortsachtige euforie. Julia verroerde zich niet en bleef voor het platform staan. Ze werd geliefkoosd, ze werd gestreeld. Maar door wie? Door wat? Wie fluisterde haar zo innig toe? Wie was het die haar zo vol overgave beminde?

Wanneer Marius niet op de tennisclub was of pianospeelde, ruimde hij op. Verwoed, zonder ophouden, de hele middag. Alles werd binnenstebuiten gekeerd, bekeken, afgestoft, geordend. Iedere kast, iedere lade. Eerst kwam hij aan de deur van het atelier vragen of iets weg mocht. Gescheurde lakens, oude kranten, kapotte sigarendoosjes, vergeelde bankafschriften. Maar na een paar dagen kreeg Julia er genoeg van om steeds gestoord te worden. 'Doe maar zoals je goeddunkt,' zei ze. 'Het kan me niets schelen.'
    'Als ik een schat vind zal ik het zeggen,' antwoordde hij vrolijk terwijl hij een stapel lege dozen in een vuilniszak stouwde. Hij hield een vergeelde kanten nachtjapon voor haar omhoog. Keurig gesteven, nooit gedragen zo te zien. 'En dit?'
    'Ik weet niet. Bestaat het Leger des Heils nog?'
    'Dan kan ik het beter aan mijn zusje geven. Die verkleuring gaat er met het wassen wel uit...'
    'Oké.'
    Netjes vouwde hij de nachtjapon op en legde hem

tussen vloeipapier in een van de dozen. 'Cadeautje.'

'Misschien zijn er nog andere dingen waarmee je haar een plezier kunt doen,' zei ze. 'Beslis zelf maar.'

Hij knikte. 'Die oude glazen in de gangkast kunnen we wel op de club gebruiken. Ik zal je niet meer storen,' mompelde hij.

'Niet voor nachtjaponnen en glazen.'

'Voor wat wel dan?'

Vluchtig kuste ze hem op zijn mond en liep zonder antwoord te geven terug naar haar atelier. Na de deur te hebben gesloten bleef ze even geleund tegen de muur staan. De katten lagen aan de voet van het beeld. De luiken waren gesloten, het licht was gedempt. In de verte hoorde ze Marius' voetstappen. Ik koop zowel zijn aanwezigheid als mijn eigen vrijheid, dacht ze. De ruimte tussen toegeeflijkheid en irritatie. Een vreemd soort harmonie. En vijf generaties familiegeheimen was de prijs. Nachtjaponnen en oorkondes en oude dagboeken en souvenirs. Geheimen die ze zelf niet kende, geheimen waarvoor ze zich nooit geïnteresseerd had, geheimen waarvan ze niets verwachtte. Schatten die sowieso ten dode opgeschreven waren.

'Wil je dit voor mij aantrekken?' vroeg hij na het eten. Hij hield een wit zijden avondjurk op. 'Met deze ketting?'

Ze keek naar het collier dat hij in zijn hand hield. Zes ronde smaragden met inscripties gezet in zespuntige diamanten sterren. Ze kon zich niet herinneren dat haar moeder het ooit gedragen had. Het was veel te zwaar, veel te opzichtig voor Mama. 'Waar komt dat vandaan?' vroeg ze.

Marius keek haar verbaasd aan. 'Ken je het niet?' vroeg hij aarzelend.

'Nee, nooit gezien.'

'Het lag in een van de laden van je vaders bureau. Je had gezegd dat ik de papieren maar moest opbergen, toch?'

Ze nam de ketting van hem over en bekeek de stenen in het licht. De inscripties waren Grieks. Onleesbaar. Alleen het woord *pseudos* kon ze ontcijferen.

Toen ze niet reageerde, vervolgde hij: 'En met deze schoenen. Als het je maat is tenminste.'

'Waarom?' vroeg ze en slingerde het collier als een armband om haar pols.

'Omdat...' stamelde hij. 'Omdat... ik je nog nooit zo gezien heb.'

'*En grande tenue*, bedoel je.'

'Nee, als vrouw, bedoel ik, als iemand op wie ik trots kan zijn,' zei hij.

Ze keek hem verbaasd aan. 'Als vrouw? Dat is niet zo aardig,' antwoordde ze.

'Ik bedoel het niet onaardig, lieverd. Ik wilde alleen... Nu ja, het is ook onzin. Laat maar.'

'Nee, het is geen onzin.' Ze trok de jurk en de schoenen uit zijn handen.

'Julia, alsjeblieft, ik wilde je niet kwetsen.'

'Je hebt me niet gekwetst,' zei ze en liep de trap op naar haar moeders kamer.

Ummm-pa-pa-ummm-pa-pa-ummm. Bij iedere ademhaling, bij iedere beweging. Het ritme was een opzwepende cadans geworden, als het bloed dat kloppend door haar aderen vloeide, als het trommelgeluid dat een ritueel begeleidt. Ze wierp haar trui uit, trapte haar gerafelde paardrijbroek in een hoek en slingerde haar ondergoed op het bed. Als een vrouw. Als een vrouw. Pa-pa-ummm. Zijn woorden hadden haar wakker geschud. Ze was ontwaakt. Zo snel, zo heftig trommelde en bonsde en gonsde het door haar heen dat ze niet meer kon nadenken. Als een vrouw, was het enige wat ze dacht. Een magische spreuk, een bezwerende formule. *Pseudos. Anima. Shakti.* Parel van de kosmos. Of was het Papa die dat zei? Ze stapte vlug in de kleine elegante schoenen, trok de lange witte jurk aan en legde het collier om haar hals. Zo koud en zwaar waren de stenen dat haar adem schokte. De smaragden schroeiden haar huid, brandden haar keel, deden haar naar lucht snakken. Op slag viel het ritme stil.

'*Anima, Shakti,*' hoorde ze haar vader zeggen. Verder niets. Geen Marius, geen wind, geen katten, geen auto's, geen bromfietsen. Niets. Een wereld zonder geluid, door sneeuw bedekt, in slaap gewiegd. Ze voelde zich licht en zwevend, nog net in evenwicht gehouden door de pijnlijke en tegelijkertijd opwindende druk van de flonkerende sterren om haar hals. Een stralenkrans, een aura die haar gezicht mysterieus deed oplichten. Julia pakte een van haar moeders spelden van de kaptafel, stak haar haar op en ging de kamer uit.

Zodra ze beneden kwam staarde Marius haar met ontzetting aan. Minutenlang zonder iets te zeggen, zonder zijn ogen van haar af te wenden nam hij haar op. 'Je houdt niet van me,' zei hij ten slotte.

'Marius, ik heb gedaan wat je me gevraagd hebt. Is dat geen teken van liefde?'

'Ik zie nu dat je niet van me houdt.'

Ze ging hem voor naar de zitkamer. Het was nog licht buiten, een groengrijs avondlicht, de zon moest net ondergegaan zijn. Julia opende het raam en leunde over de vensterbank. Twee konijnen zaten op het grasveld, rustig grazend, zich oprichtend wanneer er een auto voorbijkwam. In de verte hoorde ze het slaan van de tennisballen, zo nu en dan een kreet. Marius streek een lucifer af. Toen ze zich omdraaide zag ze dat hij niet zijn pijp, maar een van de kandelaars had aangestoken. De kaarsen wierpen een bleek schijnsel op de muren.

'Beval ik je niet als vrouw?' vroeg ze. Ze aaide hem in het voorbijgaan over zijn arm en ging tegenover hem op de bank zitten. Marius ontweek haar blik. Terwijl ze een sigaret van het tafeltje pakte, zag ze dat hij naar de schittering van de edelstenen in het kaarslicht staarde. Nog steeds met een zekere ontzetting. Alsof hij zich bedreigd voelde, alsof hij bang was.

'Het was geen goed idee,' zei hij. 'Het spijt me, Julia. Je bent mooi, betoverend mooi zelfs en die ketting is...' Hij wees naar het collier en liet vervolgens zijn hand weer zakken.

'Maar?' vroeg Julia en stak haar sigaret aan de kaars aan.

'Maar ik zie opeens iets in je wat ik liever niet gezien had.'

'Wat?'

'Iets ongenaakbaars.'

'Ongrijpbaar? Zonderling? Dat heb je volgens mij altijd gevonden.'

'Kun je dat ding afdoen?' vroeg hij.

'Nee,' antwoordde ze.

'Ik vraag me af of je wel in staat bent van iemand te houden,' zei hij zacht.

'Wat is « houden van » volgens jou, Marius?'

Hij haalde zijn schouders op. 'Iets wat te maken heeft met het gevoel van plezier dat het bedrijven van de liefde ons geeft, en de behoefte aan samenzijn die daaruit voortkomt.' Zijn stem klonk mechanisch, hij dreunde een lesje op, alsof hij zelf nauwelijks hoorde wat hij zei.

Julia zweeg en sloot haar ogen.

'Ik verveel je, hè?' riep hij opeens op gekwelde toon uit. 'Maar ik begrijp je vraag niet. Wat moet ik doen om je genegenheid te winnen? Wat? In godsnaam, zeg me wat? Ik weet net zo min als wie dan ook op aarde wat liefde is.'

Misschien is hij maar tot de letter k in de encyclopedie gekomen, dacht Julia malicieus. Maar ze glimlachte en kwam overeind. 'Je hebt mijn genegenheid, Marius,' zei ze terwijl ze door zijn haar streelde. 'Je woont bij me in huis, we slapen in hetzelfde bed, we beminnen elkaar de halve nacht...'

Hij stond op en nam haar in zijn armen. 'Ja, maar ik zou zo graag willen dat je me... Nu ja, het doet er niet toe. Deze avond is verloren.' Hij gaf haar een zoen en zei mat: 'Het spijt me, Julia. Het is mijn schuld. Ik denk dat ik alvast naar bed ga. Een beetje lezen.' Toen hij haar nogmaals omhelsde, raakte hij even de ketting om haar hals aan. 'Blijf je niet te lang beneden?'

'Nee,' antwoordde ze en deed het raam achter hen dicht. 'Ik kom zo.'

Zodra ze het duistere atelier betrad, wist ze dat Papa er was. Maar niet op de canapé zoals gewoonlijk. Als een scherm, een logge ondoordringbare aanwezigheid tussen haar en het platform. Hij hield haar op een afstand, ontnam haar het zicht op het beeld.

'Zonder die arme Kruger had je het nooit gevonden,' zei hij.

Ze legde even haar hand om haar hals, gleed met haar vingers over de koude stenen. 'Nee, waarschijnlijk niet. Wat is het?' vroeg ze.

'Een symbool, een talisman.'

'Symbool van?'

Hij aarzelde even. 'Openbaring,' zei hij heel zacht.

'Maar waar komt het vandaan?'

'Uit de familie Van der Elst. Volgens de legende kreeg de alchemist Leon van der Elst het in Constantinopel van een jongetje op straat.'

'En wat stelt het voor?'

'De tabula smaragdina, een in smaragd gehouwen tekst van Hermes Trismegistos.'

'Ah, dus toch weer een onbegrijpelijk recept,' lachte ze.

'De inscripties zijn niet belangrijk, liefje.' Haar vaders stem klonk anders vanavond, een beetje treurig en vermoeid. 'Hermes, Mercurius bij de Romeinen.'

'De planeet waarin mijn sterrenteken staat?' viel ze hem bij.

'Ik had het niet over astrologie. In de alchemie is Mercurius het symbool voor het passieve: de maan, het vrouwelijke, het vluchtige. Yin bij de Chinezen, het zaad van Shiva in India.'

'Ja, en?' Ze deed haar schoenen uit.

Haar vader ging onverstoorbaar verder. 'In de westerse alchemie wordt sulfer gezien als de tegenpool van Mercurius. Sulfer is het actieve...'

'De zon, het mannelijke, het standvastige,' vulde Julia hem aan. 'Dat heb je me vroeger eens verteld.'

'Maar heb je dan ook begrepen dat door de *conjunctio*, door de samensmelting van deze twee elementen de *quinta essentia* voortgebracht wordt? Een proces van reiniging en geestelijke transformatie. VITRIOL. Weet je nog? Daal neer in het diepst van jezelf om de ondeelbare kern van je wezen te vinden waarop je een nieuwe persoonlijkheid, een nieuw mens kunt bouwen...'

'Reiniging en geestelijke transformatie?' herhaalde Julia ernstig.

'Ja.'

'Om je vervolgens tot een nieuw mens, een nieuwe persoonlijkheid te ontwikkelen?'

'Ja, liefje.'

Ze zweeg en bleef als aan de grond genageld midden in het vertrek staan. Voor het eerst begreep ze iets van wat hij haar al die jaren had proberen te vertellen. Al zijn tirades, al zijn raadsels en mythologische vertellingen kwamen plotseling tot een coherent en overweldigend beeld samen. Maar onuitspreekbaar, zonder woorden. Sterker nog, het ontnam haar haar stem, deed zelfs haar adem stokken, snoerde haar keel. Een blikseminslag. Zo angstaanjagend, groots, subliem was het besef van wat Papa aan haar geopenbaard had, dat ze zich aan de rand van haar bureau staande moest houden. Een eeuwigheid ging voorbij. Een tijdloos moment waarin de overhoop gegooide legpuzzel van het bestaan zijn vorm hervond. Ze was vergeten waar ze was. Ze was de wereld, zichzelf, alles, vergeten.

'Ben je nu gelukkig?' hoorde ze de stem van Papa ten slotte vragen.

'Misschien voor het eerst,' fluisterde ze.

'Hmmm,' mompelde hij. Fluitend en zuchtend. Net als toen hij vlak voor zijn dood het zuurstofapparaat aan zijn mond zette.

'Ben je moe?' vroeg ze.

'Ja,' antwoordde hij nauwelijks verstaanbaar. 'Een beetje.'

Ze liep naar de werkbank en begon in gedachten verzonken haar gereedschap te rangschikken.

'Wil je werken?' Heel zwak klonk zijn stem.

Ze knikte.

'Maar lief kind, het is af.'

'Af?' Ze draaide zich verbaasd om. 'Hoezo af?' En terwijl ze sprak voelde ze hoe Papa's aanwezigheid lichter werd – als verdampende nevel, als optrekkende mist – totdat hij ten slotte helemaal verdwenen was en ze plotseling midden in het vertrek oog in oog met haar creatie stond.

Het was haar creatie niet meer.

HOOFDSTUK 7

Eerst: een ritme, een klank, een onverstaanbaar woord. Iets wat ze van zijn marmeren lippen las en herhaalde. Als een kind dat spreken leert. Zonder te begrijpen, zonder te weten. Ze improviseerde met klanken, jongleerde met lettergrepen. Of betekende het woord niets en was het het alleen zijn ademhaling die ze imiteerde? Een deur die zich opent en weer sluit. In en uit. Hoog en laag. Net zo lang tot ze niet meer herhaalde of imiteerde en haar eigen adem, haar eigen ritme, vond. In en uit, in en uit. Een ademstoot die zijn wimpers deden trillen. Deuren die zich openen. Diep en ondoordringbaar. Even dacht ze dat de kleur van zijn ogen de reflectie van de smaragden was; zijn donkere pupillen de vervaagde inscripties van de tabula smaragdina. Een optische illusie? Nee. Het waren gesproken klanken uit bewegende lippen. Een mond die zich krulde tot iets wat op een glimlach leek.

Daarna: een opgeheven arm, een geopende bleke hand die tussen hen in een cirkel trok. Voor haar kin een moment van aarzeling – een onderzoekende blik, dezelfde glimlach – en vervolgens een sierlijk uitgestrekte vinger die langzaam over de stenen van haar collier gleed. Een halve cirkel, van schouder tot schouder. En bij iedere steen een zin. Zacht en nauwelijks hoorbaar, alsof hij iets herkende, alsof hij iets repeteerde, controleerde. Na de laatste steen drukte hij zonder enige moeite de sluiting in haar hals los. De ketting gleed tussen hen in over de gladde stof van haar jurk naar beneden en viel op de grond.

Toen: een diepe zucht, een zachte streling in haar nek, ogen die blauw en licht de hare zochten. Opgelucht, tevreden, alsof niet zij maar hij van de ballast van het zware collier bevrijd was. Maar onmiddellijk werd de uitdrukking op zijn gezicht weer ernstig. Hij monsterde haar, minutieus en aandachtig, iedere millimeter van haar gelaat, totdat zijn blik zich in de hare boorde. Contouren vervaagden. Het vertrek werd schimmig, werd een lege ruimte waarin ook hun lichamen leken te verdwijnen. Alleen zijn ogen. Haar ogen. Een blik die fixeerde, die niets meer zag, en ten slotte tot blinde uitwisseling werd.

Een waaier van in elkaar overlopende kleuren, een vloeibare regenboog, vibreerde nu tussen hen in. En bij iedere nieuwe kleur een vorm, een flits. Een met bloed bevlekt laken als een vlag wapperend in de wind. Een koperen gong ritmisch geslagen door een onzichtbare hand. Vloeibare amber in een kristallen schaal. Een gordijn van loofwoud ruisend in de wind. Lichtstralen weerkaatsend op een gladde zee. Een donker oog achter spiegelend glas. Snel opeenvolgend, ongrijpbaar als een caleidoscoop van verspringende beelden. Van rood-oranje-geel naar groenblauw-violet, en weer terug. Draden van kleur. Heen en weer. Net zo lang tot de afstand tussen hen zich tot gesteente stolde en een verblindend driehoekig prisma werd.

Ze praatten, citeerden, verifieerden. Een montage van klankloze begrippen, een extatisch gesprek dat niet uitgesproken hoefde te worden. Zinnen zonder begin, zonder einde. Geen woorden. Geen klinkers. Geen geluid. Alleen op het snijpunt van hun elkaar kruisende gedachten kreeg hun dialoog eenmaal auditieve vorm. Ummmmm. En daarna niets meer. Een afwezigheid van klank maar niet van betekenis. Stilte. Maar een tastbare, kneedbare, geladen stilte. Rijk als vulkanische aarde. Diep als een diamantmijn. Beweeglijk als zwevende stofdeeltjes in de ondergaande zon.

HOOFDSTUK 8

'Want het schone is niets dan het juist nog door ons te verdragen begin der verschrikking...' Marius werd wakker met de dichtregels waarmee hij ingeslapen was. Hij pakte de vertaling van Rilke's *Duineser Elegiën* van het nachtkastje en probeerde zich tevergeefs op de dansende letters te concentreren. Bijna onmiddellijk liet hij het boek naast zich op het kussen vallen. 'Schrikwekkend is iedere engel,' mompelde hij. Zonder te kijken wist hij dat de andere kant van het bed onbeslapen was. Natuurlijk had Julia de nacht in haar atelier doorgebracht. Dat was zijn straf voor die onzinnige verkleedpartij van gisterenavond. Hij dacht aan de gratie waarmee ze zich uit het openstaande raam gebogen had. De schittering van het collier in het kaarslicht. Haar ernstige regelmatige trekken die door het opgestoken haar geaccentueerd werden. Waarom die overdreven reactie, vroeg hij zich af. Had hij dan nog steeds niet die toestand verwerkt? Maar Julia bleek niet eens op de hoogte te zijn van wat er gebeurd was. Of was het haar schoonheid die hem van zijn stuk gebracht had? Het plotselinge besef dat de afstand tussen hen onoverbrugbaar was. Hij kon haar de hele nacht beminnen, alle kasten in huis opruimen en iedere avond een grand cru drinken, maar Julia was niet voor hem, zou nooit voor hem zijn. En hadden meneer en mevrouw Boyer dat niet vanaf het begin af aan meer dan duidelijk gemaakt? Nooit werd er ingegaan op Marius' vraag hoe het Julia in Florence verging, nooit werd hij, in tegenstelling tot een aantal andere jonge vrienden van meneer Boyer, voor de lunch of het eten uitgenodigd tijdens de vakanties die Julia op Oude Stein doorbracht. Hoe aardig meneer Boyer ook tegen hem deed, hij bleef natuurlijk het neefje van de pachter.

Nee, onzin. Leon Boyer was dood, tijden waren veranderd. Pachters bestonden niet meer en de regering was socialistisch. Boyer of Thijssen – iedereen gelijk. Julia was niet beter of anders dan hij. Ze was kunstenaar, meer niet. Met een ongeduldig gebaar gooide Marius de lakens van zich af en kwam overeind. Weer dat gevoel van rusteloosheid. Net als gisterenavond. Een sensatie alsof een achtbaan door zijn slokdarm roetsjte, een jojo van onbehagen die hem het ademhalen leek te bemoeilijken. Hetzelfde gevoel waaraan hij zijn afkeuring te danken had. Overwerkt, had er op het officiële document gestaan.

'Onderdrukte agressie,' noemde Joep Beekman het destijds. 'Je gaat te gronde aan je eigen ambitie, Kruger. Je moet je libido bevrijden.'

Marius haalde een aantal keren diep adem en rekte

zich uit. Joep had altijd overal de juiste verklaring voor. Vanaf het allereerste moment dat ze elkaar in de universiteitsbibliotheek hadden ontmoet, lag de machtsverhouding tussen hen vast. Joep was de autoriteit, Marius volgeling en proefkonijn. Toen Joep besloot psychoanalyticus te worden, leed Marius volgens hem de ene dag aan een Oedipuscomplex en de volgende aan een onmogelijkheid de anale fase los te laten. Tijdens Joeps opleiding als directief therapeut moest Marius zijn vrees voor honden leren overwinnen en sinds zijn interesse voor het boeddhisme en yoga had Joep het over verstoorde chakra's en het belang van dagelijks mediteren. En nu Joep in de gemeenteraad van Nieuwe Stein zat was hij geheim agent voor hun snode plannen betreffende de uitbreiding van de stad geworden? Marius lachte. Daarin vergiste dokter Beekman zich. Zo dom was hij nu ook weer niet; deze keer lag zijn loyaliteit elders. Zijn jongensdroom gaf hij niet zomaar gewonnen!

Nog steeds die jojo, dat ellendige roetsjen in zijn middenrif. Ontbijten misschien. Zich aankleden. Marius schoot zijn spijkerbroek aan en stopte het verfrommelde stapeltje Zwitserse francs dat hij gisteren in het bureau van meneer Boyer gevonden had in zijn portefeuille. Diep ademhalen, rustig worden. In de grote lichte badkamer voelde hij zich beter. Hij waste tweemaal zijn handen, poetste meticuleus zijn tanden. Hij glimlachte naar zichzelf in de spiegel. Het hoofd koel houden, Kruger. De cirkel van behoefte-actie-bevrediging zien te doorbreken. Niet de hele dag opruimen. Accepteren dat je fouten maakt, dat anderen fouten maken. *Nobody is perfect.*

Maar voordat hij de badkamer uitging kon hij het toch niet laten zijn handen nogmaals te wassen. Heel vlug, zonder zeep deze keer.

De zon scheen door het openstaande keukenraam. Vale plekken op het groezelige zeil, stofsluiers in de lucht. Marius zette thee, dekte voor zichzelf de tafel en schikte de seringen die hij gisteren in een vaasje had gezet. Een van de katten stak schichtig zijn snuit om de hoek van de deur en onmiddellijk wierp Marius een kurk in zijn richting. 'Ksss, weg jij, rotkat.' Vervolgens besmeerde hij nauwkeurig zijn boterham met jam en sneed hem in vier gelijke stukken. Voordat hij ging zitten luisterde hij even in de deuropening of hij iets hoorde. Niets. Julia sliep nog. De jojo was gelukkig verdwenen; hij was te bruusk ontwaakt wellicht.

Vannochtend zou hij de portierswoning verder uitmesten. Julia's auto kon dan in de schuur gezet worden en de dingen voor zijn zusje konden in de bijkeuken opgeslagen worden. Heel lang roerde hij in zijn theekopje, zijn pink omhoog, het schoteltje op borsthoogte. Het was alsof hij een toneelstukje opvoerde, alsof hij Danny Kay's Walter Mitty geworden was. Ziehier Marius Kruger theedrinkend uit een empire-Limoges-kopje, aandachtig Rilke lezend in het rozenprieel van Oude Stein, aangenaam converserend op de antieke sofa in de salon. Tableaux vivants met hemzelf in de hoofdrol. Julia's aanwezigheid verpestte het spel een beetje; het werd moeilijker zichzelf als acteur, als held van het verhaal, te zien wanneer ze samen waren. Maar tegelijkertijd ergerde hij zich eraan dat ze de hele dag in het atelier doorbracht. Had ze dan geen behoefte aan zijn gezelschap? Het verschil met die eerste week toen ze de slaapkamer niet uit kwamen was zo groot, hun verhouding was zo snel tot sleur geworden dat hij steeds meer aan haar gevoelens voor hem begon te twijfelen. Ze houdt niet echt van me, dacht hij bitter wanneer ze langer dan een paar uur verdwenen was. Het is alleen voor de seks.

'Seksuele contacten bestaan niet,' had Joep steeds tijdens zijn Lacan-periode uitgeroepen. De liefdesdaad is, zoals haast ieder contact, het gevolg van een misverstand tussen man en vrouw. Marius glimlachte. Zo had ieder zijn eigen stokpaardje. Volgens Joep was communicatie onmogelijk, volgens meneer Boyer was dat juist waar het in het leven om draaide. *'Communicare'* was een van diens sleutelwoorden geweest. Alleen door iets gemeenschappelijk te maken kon je betekenis creëren. Alles moest je delen (behalve je dochter en een aantal andere dingen, die waren privé-bezit). Ach, die brave meneer Boyer! Marius was zijn vertrouwen niet waard geweest. Of zou hij het hem vergeven hebben? Misschien had hij niet moeten verdwijnen, misschien had hij beter met meneer Boyer over zijn misstap kunnen praten. *Communicare*. Maar daar was hij te laf voor geweest. En de anderen? Zouden die het geweten hebben? Piet van Hamme en die twee meisjes McKay bijvoorbeeld? Nee, waarschijnlijk niet.

'Je hebt een autoriteitsprobleem, Marius,' hoorde hij Joep zeggen. 'Je bent altijd op zoek naar een substituut-vader die je terechtwijst.'

Marius begon zijn pijp te stoppen en schoof de stoel naar achteren om zijn benen te kunnen strekken. 'Je hebt geen tijd te verliezen. Zodra je je eindexamen hebt, moet je je inschrijven aan de universiteit,' had meneer Boyer hem bij een van hun eerste ontmoetingen gezegd. Hij had hem vriendschappelijk bij zijn arm gepakt en samen liepen ze een eindje over de houten brug in de richting van de trap. 'De volgende keer dat je weer bij je oom bent kom je langs en dan hebben we het erover,' zei hij. Een week later was hij tot 'bibliothecaris' benoemd en kreeg geld voor de uren dat hij meneer Boyer hielp met het ordenen van zijn boeken. Van bibliothecaris werd hij al snel manusje-van-alles. Hij hielp mevrouw Boyer met het opruimen van de linnenkast, ging naar het postkantoor, nam zo nu en dan de telefoon op en bracht limonade rond wanneer iedereen gekluisterd aan meneer Boyers lippen op de trap voor het huis zat.

'Ach, houd toch op met je schuldig te voelen, Kruger!' had Joep tegen hem gezegd. 'Wat was die Boyer nu eigenlijk? Een rentenier met esoterische ideetjes, een landjonker die zichzelf een soort middeleeuwse koning waande. Met hovelingen en narren en de hele rataplan. Hij buitte je uit, dat is toch zo duidelijk als wat.'

Marius had geen antwoord gegeven.

Het slaan van de pendule deed hem uit zijn gedachten opschrikken. Twaalf uur. En nog was ze niet wakker? Of boudeerde ze en wilde ze hem pesten door niet te voorschijn te komen? Hij zette zijn bordje en het theekopje in de gootsteen en liep de gang in. Voor de grote spiegel bleef hij even staan. Had hij een das moeten aandoen? Nee, te opgeprikt, te onnatuurlijk. Terwijl hij zijn jasje rechttrok hoorde hij geluid uit het atelier komen. Een stem. Julia zong of neuriede iets. Ze was kennelijk in een goed humeur. Ze werkte aan haar beeld en was zijn aanwezigheid vergeten. Ze had hem niet nodig. Zelfs als klein meisje was ze alijd haar eigen gang gegaan en nam alleen notitie van Marius wanneer het haar uitkwam. Zijn eerste liefde, zei hij altijd. Omdat het aardig klonk om te zeggen: 'Julia Boyer van Oude Stein was mijn eerste liefde.' Maar het was natuurlijk niet waar. Oude Stein was zijn eerste liefde geweest; hij was destijds alleen op Julia gevallen omdat ze de dochter van de Boyers was. De schoonheid van het landgoed, al die goed onderhouden perken en paden, de vrienden van meneer en mevrouw Boyer die in de zomer onder de lindebomen

136

croquet speelden, hadden een magische aantrekkingskracht op hem. Vanuit het moestuintje van zijn oom Ger hoorde hij hun stemmen. Gelach, gerinkel van glazen, het luiden van de gong voor de lunch. Soms zag hij hen in de verte in het rozenprieel. Het soort mensen dat er iedere dag van de week op hun paasbest uitziet.

'Werken ze niet?' vroeg hij aan zijn oom terwijl ze de schapen voerden.

'Ze werken met hun kop,' antwoordde Ger Thijssen. 'Maar daar heb je hersenen voor nodig...'

Hersenen, zei de kleine Marius tegen zichzelf. Die moest hij dus zien te krijgen om croquet te kunnen spelen en in het grote huis uitgenodigd te worden.

Julia ontmoette hij voor het eerst drie dagen na zijn tiende verjaardag. Hij was van Vreeswijk, waar hij met zijn moeder woonde, naar Oude Stein gefietst om uit het nest van oom Gers keeshond Anka een puppy te kiezen. Zijn felbegeerde verjaardagscadeau.

'Je moet een meisje nemen,' zei zijn oom terwijl ze in een hoek van de schuur voor de doos met hondjes knielden. 'Die daar bijvoorbeeld, met het vlekje op haar neus.'

'Waarom een meisje?' had Marius argwanend gevraagd.

'Die lopen niet weg naar Zuid-Amerika, zoals je vader,' antwoordde oom Ger.

'Onzin. Meisjes lopen vaker weg dan jongens,' had

het plotseling geklonken. Van achter de hooibalen. Een klein meisje met donkere ogen keek hem brutaal aan. 'Dat zegt mijn vader, en die weet alles!'

Zijn oom schoot in de lach. 'Dag Julia,' zei hij.

'Deze moet je nemen,' zei het meisje en knielde naast hem voor de doos. Ze pakte een van de puppy's bij zijn nekvel en hield hem omhoog. 'Hij heet Ollie en is heel lief...'

Marius aarzelde zo lang dat zijn oom ongeduldig werd. 'Nou, welke wordt het? Die met het vlekje, of die van Julia?'

Het meisje keek hem uitdagend aan, alsof hij op de proef gesteld werd, alsof ze hem stom zou vinden wanneer hij het hondje met het vlekje nam.

'Ik moet er nog even over nadenken,' had hij ten slotte geantwoord. Diep teleurgesteld was hij weer naar huis gefietst en besloot dat hij liever toch een tennisracket in plaats van een puppy wilde.

Vanaf die dag ging hij een paar keer per week naar Oude Stein in de hoop met Julia te spelen maar wanneer hij haar met schuchtere passen naderde bleef ze meestal zonder hem goeiendag te zeggen aan de tuintafel zitten tekenen. Heel ernstig. Haar bleke smalle gezicht gespannen, haar donkere haar voor haar ogen. Dan ging hij maar weer terug naar zijn oom om een beetje te helpen in de moestuin. Als hij geluk had verscheen Julia wel eens later op de middag aan de andere kant van het hek. In korte zinnen commandeerde ze hem wat ze gingen doen. Roeien. Bloemen plukken. Verstoppertje spelen. Onmiddellijk liet hij zijn schoffel en emmer vallen en volgde haar bevelen op. Totdat ze er genoeg van had en zonder een woord te zeggen weer verdween. Nee, ook toen had ze hem niet nodig gehad. Wat hij ook deed om haar voor zich te winnen, hoeveel snoep hij ook meebracht, hoeveel kikkervisjes hij ook voor haar ving.

De portierswoning verder uitmesten? Marius aarzelde even bij de voordeur. Toen hij Julia weer hoorde zingen, kon hij zich niet langer bedwingen en liep met grote passen door de gang naar het atelier.

'Julia!' riep hij. 'Ik begrijp niet waarom je...'

Opeens stond ze voor hem. Rechtop in de deuropening, haar handen opgeheven om hem de weg te versperren. Bleek, doorschijnend, elegant. Nog steeds in de avondjurk van gisterenavond. De ketting had ze niet meer om, haar lange haar hing in slierten langs haar gezicht. Ze zag er moe uit, uitgeput zelfs, maar haar pupillen waren groot en glinsterend. Alsof ze gehuild had, of een beetje dronken was. Ze glimlachte, die ontwijkende verlegen glimlach van haar, maar ze ontweek zijn blik.

'Is het niet wat overdreven om nog steeds boos te zijn?' begon hij. 'Het spijt me, maar ik vind je reactie buiten proportie.'

'Boos?' herhaalde ze zacht. Nu pas keek ze hem aan. Een beetje spottend, vond hij. Ironisch. Of leek dat maar zo door de schemering van de gang?

Weer die jojo in zijn middenrif. Verdomme, verdomme. Roetsjend in zijn maag, zich hakend aan zijn hartslag. Diep ademhalen. Hij raakte in paniek. Voor het eerst in jaren, voor het eerst sinds hij uit Den Haag vertrokken was, een dichtgesnoerde keel, te weinig lucht. Door haar. Omdat ze niet van hem hield, omdat ze...'

'Ik ben niet boos,' zei Julia, maar hij hoorde nauwelijks wat ze zei.

'Nu moet het maar eens afgelopen zijn met die onzin,' zei hij met overslaande stem. 'Laat me naar binnen.'

'Nee.' Nog steeds dezelfde glimlach, dezelfde blik, maar met haar handen omklemde ze nu stevig de deurposten.

'Julia, als je van me houdt dan...' Het ragfijne satijn van haar jurk scheurde onder zijn vingers. Terwijl hij haar opzij duwde zag hij in een flits haar kleine borsten, haar gespierde buik, haar smalle heupen. Bloot. Kwetsbaar.

'Nee Marius,' zei ze. 'We hadden afgesproken dat...'

Hij aarzelde, had zich bijna weer omgedraaid maar het was te laat. Wat ze voor hem verborgen wilde houden, staarde hem vanaf het platform aan.

'Het is een man,' zei hij. Onmiddellijk kwam de achtbaan tot stilstand. Zijn vingers tintelden, warme golven in zijn armen. Hij ging het atelier binnen en om zijn simplistische constatering over de sekse van haar kunstwerk uit te wissen, voegde hij er snel aan toe: 'Wat mooi!'

'Een man?' herhaalde Julia. Zijn uitspraak leek haar te verbazen. Zonder enig spoor van verontwaardiging over de manier waarop hij in haar atelier binnengedrongen was, kwam ze naast hem staan. Met ontbloot bovenlichaam, de stof van haar gescheurde jurk om haar middel gedrapeerd.

'Is het een man?' vroeg ze nogmaals.

'Ja eh, wat anders...' antwoordde Marius. Hij liep langzaam om het beeld heen, bestudeerde van dichtbij de welvingen, rondingen, hoeken en lijnen. Zonder echt te kijken, meer om zich een houding te geven, om zijn schaamte over zijn gewelddadigheid te maskeren. Ik heb waarschijnlijk geen oog voor beeldhouwkunst, ging het ten slotte door hem heen. Hij deed een paar passen naar achteren, tuurde tussen zijn oogharen zoals hij deed wanneer hij aquarelleerde. Ja, de proporties waren juist, sierlijk zelfs, maar het bleef een stuk steen. Meer niet. Koud, levenloos, onbezield.

'Je kunt toch moeilijk beweren dat het een vrouw is?' zei hij grinnikend en liet zijn hand glijden over het nogal geprononceerde geslacht van het beeld.

Julia gaf geen antwoord. Ze stak een sigaret op en leunde in gedachten verzonken tegen de vensterbank. Marius nam vlug het vertrek in zich op. De oude orangerie waar hij vroeger eens voor mevrouw Boyer de keukentafel opnieuw had gelakt. In de hoek stond nu een canapé, een lange tafel bezaaid met vellen papier bij het raam. Het was een zonnig vertrek,

pal op het zuiden. Hier heeft ze dus al die jaren geleefd, dacht hij. Als een kasplantje. Fallussen van
steen, lippen van marmer. Toen hij weer naar haar
opkeek zag hij dat ze lachte. Ze lacht me uit, ging het
door hem heen. Zoals vroeger wanneer hij een woord
niet begreep of haar naam niet goed uitsprak. Misschien vond ze dat zijn reactie op haar kunstwerk niet
enthousiast genoeg was.

'Liefste, ik vind je beeld heel goed,' zei hij en ging
naast haar staan. Hij moest opeens denken aan wat zij
gezegd had toen ze destijds zijn aquarel bekeken had.
Ja, het is mooi. Heel mooi. Hij sloeg zijn arm om haar
schouders, streelde over haar blote rug. Rilde ze?
'Prachtig zelfs,' vervolgde hij. 'En wat een werk! Al dat
beitelen en schaven en polijsten. Nu begrijp ik beter
waarom je het zo druk had.' Waarom je geen tijd voor
mij had, had hij eigenlijk willen zeggen. Maar hij be-
dwong zich, verstevigde alleen de greep om haar
middel.

'Je bent vast heel moe nu,' zei hij. Hij trok haar nu
zo stevig naar zich toe dat ze wel reageren moest.

'Moe?' zei ze.

'Ja. En heb je het niet koud zo? Ga lekker in bad, dan
maak ik ondertussen het ontbijt.' Alsof hij het tegen
een kind had. Hij nam de brandende sigaret uit haar
hand en wierp hem uit het openstaande raam de tuin
in. 'Kom.'

Gewillig liet ze zich meevoeren.

HOOFDSTUK 9

'Ik heb een collega die een appartement zoekt,' zei Joep Beekman. 'Nu je toch nooit meer thuis bent dacht ik...' Ze zaten samen op het bankje naast de klaterende fontein voor de Nestor. Marius had zijn post opgehaald en was even langs de praktijk van Joep gelopen.

'Ik weet niet,' antwoordde Marius aarzelend.

'Onzin! Waarom voor niets huur betalen, Kruger?'

'Het lijkt me een beetje voorbarig nu al mijn flat op te zeggen.'

'Voorbarig? Hoezo voorbarig?' Joep dramde, zoals altijd. Gelukkig zag hij iemand voorbijlopen die hij kende, en hij vloog overeind om hem te begroeten. Marius bleef zitten en observeerde zijn vriend. Joep sprak met grote gebaren, overdreven, luid. Een beetje te opgewonden, dacht Marius. 'Hmm, een lichte vorm van manie, dokter Beekman,' mompelde hij, Joeps stem imiterend. 'Uw moeder heeft wellicht te veel koffie gedronken tijdens haar zwangerschap.' Hij wendde zich naar de façade van de andere hoogbouwtoren.

Vanuit het zitkamerraam had hij Oude Stein kunnen zien. Dat was het enige wat hij zich na het allereerste bezoek aan zijn appartement herinnerde. Het aantal kamers wist hij niet meer, de afmeting van de badkamer was hij vergeten. Nog dezelfde dag tekende hij het huurcontract. Maandenlang had hij iedere avond voor het raam naar muziek zitten luisteren. Hij keek naar de lichten op de snelweg, naar Utrecht in de verte, naar de donkere schaduw van de bomen van het landgoed. Soms zag hij licht in het bijgebouw. Julia's atelier waarschijnlijk. Maar meestal was alles donker. Verlaten. Alsof er niemand woonde. Hij dacht: morgen ga ik erheen. Het is maar een paar minuten van de tennisclub. Ik loop naar de voordeur, bel aan en zeg wie ik ben. Maar hij ging niet. Hij tenniste, flirtte met Yvonne, de vrouw van de burgemeester, las tijdschriften en zat voor het raam. Iedere avond. En steeds fantaseerde hij hetzelfde, moest hij hetzelfde fantaseren. Met eenzelfde dwangmatigheid als waarmee hij vijf keer de gaskraan controleerde en zijn bureau ordende. Julia deed de deur open. Dezelfde Julia van vroeger, maar langer, ouder. Vol ergernis nam ze hem op.

'Meneer Kruger, hoe durft u hier te komen na wat er voorgevallen is?' vroeg ze verontwaardigd. En hij wist niet wat te zeggen, stamelde, stotterde, liep rood aan. Steeds weer datzelfde scenario, datzelfde gevoel van schaamte.

Totdat hij na te veel jenever te hebben gedronken alles aan Joep opbiechtte.

'Wat? Ben je er nog steeds niet langs geweest?' had Joep uitgeroepen. 'Na al onze plannen? Na al die eindeloze uren vergaderen over het nieuwe bestemmingsplan? Jezus Kruger, dat valt me nu echt van je tegen!'

'Je begrijpt volgens mij niet hoe...'

'Geen gelul, je gaat er morgen heen, ' viel Joep hem in de rede. 'Je zegt maar dat je van de gemeente bent als je geen zin hebt dat voorval met Boyer op te rakelen.'

Joep kwam weer naast hem zitten en sloeg met een ongeduldig gebaar zijn armen over elkaar. 'Waar waren we gebleven? O ja, je appartement... Ik zeg dus tegen mijn collega dat ze er per één september in kan, oké?'

'Nog niet,' zei Marius zonder zijn pijp uit zijn mond te halen. 'Nog niet.'

Joep zuchtte. 'Het is nog even erg met die besluiteloosheid van je. Heb je die oefeningen nog gedaan?'

Marius gaf geen antwoord.

'Hoe staat het er verder mee?' vroeg Joep. 'Die convocatie heeft ze natuurlijk gekregen maar heb je het al gehad over het plan om het huis te sparen en er een regionaal informatiecentrum van te maken?'

'Het is allemaal ingewikkelder dan je denkt, Joep. De familie Boyer woont er al honderden jaren,' zei Marius zacht.

Joep draaide zich plotseling naar hem toe en zei op nogal geërgerde toon: 'Je gaat me toch niet vertellen dat je verliefd geworden bent, Kruger?'

'Julia Boyer van Oude Stein was mijn eerste liefde, weet je nog?' lachte Marius.

'Onzin, dat heb je jezelf wijsgemaakt, daar hebben we het al zo vaak over gehad. Er was helemaal niets tussen jullie!' Toen Marius niet reageerde, vervolgde hij op gedreven toon: 'Verliefdheid is een vorm van waanzin. De erotische paradox – de sterke drang om één te worden – zorgt er over het algemeen voor dat je niet alleen de ander, maar ook je eigen hoofd verliest. En dat kunnen we even niet gebruiken, Marius.'

'Ik had het niet over seks.'

'Ik ook niet. Ik had het over Eros. *Het symposium*. Algemene ontwikkeling. In de bibliotheek van Boyer vind je er vast wel iets over.'

Marius zweeg geërgerd. 'Ze heeft een advocaat in de arm genomen,' zei hij na een tijdje.

'Wat?' riep Joep geschrokken uit.

'Een advocaat...'

'Wie? Van Mechelen soms?'

'Ik weet niet wie,' antwoordde Marius en kwam overeind.

'Onzin, natuurlijk weet je wel wie.'

'Nee, echt niet.'

'Daar moet je dan zo snel mogelijk achter zien te komen.'

Marius pakte zijn tas van het bankje en haalde zijn autosleutels te voorschijn.

'Ze heeft geen schijn van kans, Kruger. Dat heb je haar hoop ik toch duidelijk gemaakt?'

Marius knikte en klopte zijn vriend goedmoedig op de schouder. 'Tennis je wel genoeg, Joep? Je bent een beetje gestrest, vind ik.'

'Je hebt gelijk. Ik heb veel te veel aan mijn kop. Morgen. Om drie uur op de baan,' zei Joep op dezelfde gehaaste toon als waarmee hij de hele tijd gesproken had en zonder Marius de hand te schudden verdween hij in de grote sombere hal van de Nestor.

De katten waren verdwenen. Hij had het al een paar dagen gemerkt. Hun volle etensbakjes stonden onaangeroerd in de keuken. Ze lagen 's ochtends niet op het grasveld in de zon en renden 's nachts niet luid miauwend door de gangen van het huis. Marius hield niet van katten en helemaal niet van die dunne siamezen met ogen als knikkers. Deze beesten hadden bovendien ook niet van hem gehouden. Vanaf de eerste dag dat hij op Oude Stein verschenen was, hadden ze hem genegeerd. Het kon hem dan ook niets schelen dat ze weg waren, maar wat hem ergerde was dat Julia er niets over zei. Geen woord. De katten van haar vader. Haar substituut-kinderen. Die miauwende mormels die de hele dag voor haar voeten liepen, die zodra hij even uit de buurt was bij haar op schoot kropen. Het was onmogelijk dat ze niet gemerkt had dat ze verdwenen waren. Natuurlijk had ze het gemerkt; ze vulde ten slotte hun bakjes niet meer bij en riep hen 's avonds niet zoals altijd naar binnen. Ze verzweeg iets. Of ze nu wist waar ze waren of niet deed er niet toe; het was duidelijk dat ze iets voor hem verborgen hield. Ze had geheimen voor hem. Al die zogenaamde openheid van het begin, al die urenlange gesprekken, hadden geen enkele betekenis gehad. Hij had zich laten afkopen met haar toezegging dat ze haar bezittingen met hem wilde delen. Maar had ze ooit echt laten merken dat ze van hem hield? Nee. Niets van haarzelf had ze hem gegeven. Ze gebruikte hem, misbruikte hem. Wat was hij meer dan een veredelde stalknecht?

'Een butler die haar rotzooi opruimt. Een pachter in liefdesdienst,' zei hij hardop. Hij zat achter het bureau van mevrouw Boyer en schoof zenuwachtig de zilveren briefopener heen en weer over het blad. Kleine streepjes in het hout. Hij had zin er iets in te krassen. Een woord, een teken. De fijne marqueterie te beschadigen, de stukjes ivoor te verbrijzelen. Hij traceerde de figuren met het dolkvormige mes en wipte een van de stukjes ebbenhout eruit. Opeens moest hij denken aan het verhaal dat hij aan Julia had opgehangen bij hun eerste ontmoeting. Orde brengen in de overhoop gegooide legpuzzel die zijn leven was. Beginnen bij de dingen die belangrijk voor hem waren. Meneer Boyer, het landgoed, Julia. Hij had het ter plekke uit zijn duim gezogen, als binnenkomer, als verklaring voor zijn aanwezigheid in haar tuin.

'Niet zeuren over het verleden, Kruger, handelen!'

had Joep gezegd. Hoe makkelijk en overzichtelijk had het uit zijn mond allemaal geleken. Hij zou haar voor zich winnen – 'een fluitje van een cent voor iemand met jouw charme' – en natuurlijk zou ze het dan eens zijn met het idee om van het huis een regionaal informatiecentrum te maken. 'Jij wordt directeur en je woont in de portierswoning.'

Hij wipte nog een stukje ebbenhout uit het bureaublad, kraste boos in de sierlijke bloemmotieven, verpulverde het ivoor. Een overhoop gegooide legpuzzel. Alsof hij het met die woorden over zichzelf had uitgeroepen. Alles liep mis sinds hij op Oude Stein teruggekeerd was. Nachtmerries, dwanggedachten, de jojo. Maar het ergste was wel dat alleroverheersende gevoel van machteloosheid, de obsessie niet bemind, niet geaccepteerd te worden. Hij dacht aan niets anders. Julia's teruggetrokkenheid was als zout in de wond van het verleden. Dat informatiecentrum kon hem gestolen worden, al die plannen van Beekman interesseerden hem geen moer. Hij wilde dat ze voor hem buigen zou, dat haar onvoorwaardelijke overgave de pijn van die bespottelijke misstap van vroeger uitwissen zou. Als zij van hem hield had meneer Boyer het hem vergeven. Dan kon hij opnieuw beginnen. Ademhalen. Vrij zijn. Nog een stukje ebbenhout eruit en nog een en nog een...

Het was een mooie zomer. Zelfs wanneer het 's ochtends wel eens regende, brak aan het einde van de middag de zon weer door. Soms maaide Marius het gras, maar verder deed hij niet veel in de tuin. De eerste tijd dat hij op Oude Stein woonde had hij plannen gemaakt om alles te snoeien en te fatsoeneren. Geknipte hagen en gewiede paden, de fontein gerepareerd, de slotgracht gebaggerd. Zoals vroeger. Overzichtelijk. Ordelijk. Lieflijk. Zelfs al zou het maar voor deze ene zomer zijn, hij wilde één seizoen zijn jongensdroom verwezenlijkt zien. Croquet onder de lindebomen, lunch in het rozenprieel. Julia in de pastelkleurige jurken van haar moeder, hij in linnen zomerpakken met een strooien hoed op. Gerinkel van kopjes en glazen, zachte muziek uit het openstaande raam. Ze zouden vrienden uitnodigen, diners geven. Yvonne in een van de ligstoelen, Joep met een kurkentrekker in de keuken. Maar al snel bleek dat Julia niet alleen slecht in zijn droom paste, maar ook zijn plannen saboteerde. Ze wilde niet buiten eten vanwege de wespen, ze had een hekel aan het croquetspel, haar een zomerjurk laten aantrekken was onmogelijk. En vrienden uitnodigen had hij gezien haar mensenschuwheid niet eens durven voorstellen.

Ook de tuin leek hem tegen te werken. Nadat hij met groot enthousiasme het onkruid rond het huis verwijderd had, was een week later alles opnieuw opgekomen. En niet alleen daar; overal groeiden en bloeiden planten en struiken in overvloed. Berenklauw, wilde orchideeën, bruidssluier, brandnetels, dotterbloemen, rozen, judaspenningen. Verstikkend groen. Een ongekende weelde die zich iedere dag verder uitbreidde en waartegen hij niets kon beginnen. Gif? Een elektrische heggenschaar? Een razende gazontondeuse? Zelfs daarmee was het onbegonnen werk. Minstens een dagtaak. Ten slotte besloot hij iets te doen wat hij nog nooit eerder gedaan had: zich gewonnen geven. Hij zou zijn droom vergeten en het ontembare karakter van de tuin gedogen. Het zou bovendien nu niet lang meer duren voordat het herfst werd. Dan ging alles sowieso veranderen.

Marius had gedacht dat het beeld nu eindelijk af was, zo had het er ten slotte uitgezien, maar Julia bracht nog steeds een groot deel van de dag, en van de nacht soms, in het atelier door.

'Tot straks, liefste,' zei ze met een verontschuldigende glimlach voordat ze de deur achter zich dichtdeed.

'Is het nu nog niet af?' vroeg hij dan geërgerd.

'Bijna, maar het is nu eenmaal niet makkelijk te scheiden van iets waar je zoveel van jezelf in hebt gestopt.' Ze wierp hem een kushand toe en verdween. Maar hij hoorde haar niet werken. Geen gebeitel, geen geschaaf, geen gepolijst. Niets. Geen enkel geluid.

Het is toch duidelijk dat ze tegen je liegt, zei hij tegen zichzelf. Om alleen te kunnen zijn, om je niet de hele dag om zich heen te hebben. Je laat je belazeren waar je bij staat, Kruger. En je doet niets. Je speelt mooi weer. Je bent een lafaard. Weer dat gevoel. Alsof hij geen adem kon halen, alsof hij ging flauwvallen. Misschien moest hij toch de pillen nemen die Joep hem een jaar geleden voorgeschreven had. Of nee, liever een fles Volnay opentrekken.

'Vertrouwen is een vorm van hoop,' had meneer Boyer gezegd, op die gedragen dramatische toon van hem. Ze zaten aan de lange keukentafel. De meisjes McKay, Piet van Hamme, Inge Westerman en hij. 'Een voorschot op de toekomst met het heden en het verleden als onderpand. Vertrouwen stelt je in staat blind te handelen.'

De rest van het gesprek kon Marius zich niet herinneren. Maar die drie zinnen hadden zich in zijn geheugen gegrift. Hoop, een voorschot op de toekomst, iets wat alle twijfel wegneemt. Steeds weer had hij daaraan moeten denken. Al die jaren. Vanaf de dag dat hij voor zijn eindexamen zakte tot nu.

Vroeg in de morgen schrok hij plotseling wakker en toen hij Julia niet naast zich in bed voelde, stond hij op en schuifelde door het nog schemerige huis naar de deur van haar atelier. Slaapdronken, zijn ogen waren nauwelijks geopend, vond hij op de tast zijn weg. De erotische paradox, ging het door hem heen. Paradox. Een vreemd refrein, meer een cadans, een ritme. Woorden die hij niet goed begreep, woorden die nog deel uitmaakten van wat hij gedroomd had. Zwal-

kend liep hij door de smalle gang en bleef voor de gesloten deur staan. Wat had hij dan gedroomd? Hij
was te slaperig om na te denken. Te veel wijn gisterenavond. Een vieze smaak in zijn mond, een toege-
knepen keel. Hij leunde tegen de koele muur, zijn armen over elkaar geslagen, zijn hoofd gebogen.

'Julia,' mompelde hij. Of was het niet zijn eigen
stem die hij hoorde? Iemand praatte. Tegen hem?
Nee. Het was allemaal maar een onschuldige droom.
Zinnen uit een boek, flarden van gesprekken, papieren waarheden.

'De wereld draagt alle vormen in zich, is in zichzelf
besloten en transformeert zich onophoudelijk,'
hoorde hij. En toen weer de vreemde schittering van
het collier in het kaarslicht. De koude blik van
meneer Boyer toen hij hem die laatste handdruk gaf.
'Zeg dan iets, Kruger,' siste Joep achter hem. 'Lafbek!
Zeg dat het je spijt. Of dat het je niet spijt. Maar zeg
iets.'

'Julia! Verdomme, verdomme,' riep hij uit.

'Marius?' De stem van zijn moeder. Licht verwijtend, maar tegelijkertijd zacht en smekend. 'Marius,
ik heb je zo gezegd dat... Ik heb je toch gevraagd om...
Marius? Marius?'

Het duurde even voordat hij doorhad dat degene
die hem zo stevig bij zijn arm pakte Julia was.

'Ik miste je,' zei hij, maar ze gaf geen antwoord.
Haar warme hand gleed even over zijn naakte rug,
schroeide zijn onderkoelde huid, deed hem rillen.

Liefdevol leidde ze hem terug naar de slaapkamer en pas toen ze samen in bed lagen en ze tegen hem aan kroop, fluisterde ze: 'Arme Marius, je bent helemaal versteend.'

Algemene ontwikkeling. Marius stond voor de kast met klassieke literatuur in de bibliotheek van meneer Boyer. Zijn oog viel op het boek waarnaar hij gezocht had. *Het symposium*. Hij ging zitten in een van de leren fauteuils, stak zijn pijp op en begon te lezen. Maar na een paar bladzijden raakte hij afgeleid en het duurde niet lang voordat hij verveeld door de rest van het werk begon te bladeren. Als morellen van elkaar gescheiden wezens die wanhopig naar hun wederhelft op zoek waren? Eros een demon, intermediair tussen het menselijke en goddelijke? Wat een onzin allemaal. Met een klap sloeg hij ten slotte het boek dicht, legde zijn pijp op de stoelleuning en bleef met gebogen hoofd zitten. Allegorieën, bedenksels, symbolen. Hoe moest hij daar in godsnaam ooit wijs uit worden? Waarom had die Plato niet gewoon kunnen zeggen wat hij bedoelde? In klare taal. Recht voor zijn raap. Begrijpelijk. Misschien was hij gewoon te dom, ging het door hem heen. Te simpel voor meneer Boyers hoogstaande morele eisen, te dom om geschiedenis te studeren, niet interessant genoeg voor Julia, niet artistiek genoeg om de schoonheid van dat marmeren beeld te begrijpen. 'Een gewone jongen,' zoals Joep wel eens tegen hem gezegd had. 'Waarom wil je zo ontzettend graag meer zijn?'

Zijn oog viel op de pigmentvlekjes op zijn vingers, op de blauwe aderen die door zijn huid schenen. Waren dat zijn handen? Het was alsof ze geen deel van zijn lichaam uitmaakten. Oud vel. Als craquelé. Als van een bejaarde. Ik ben een vreemde voor mezelf, dacht hij. Ik heb alle macht over mijn leven verloren. De jojo, de achtbaan. Nee! Hij greep zijn pijp en vloog plotseling overeind. Niet aan toegeven. Hij moest zijn hoofd koel houden. Plannen maken. Opruimen. Julia zo ver krijgen dat ze de feiten onder ogen zou zien. Desnoods met geweld. Maar hij zonk onmiddellijk weer terug in de stoel. Lood in zijn benen, hij was zelfs te lamlendig om naar beneden te gaan en thee te zetten.

HOOFDSTUK 10

Zonder erectie lag hij naast Julia in bed de krant te lezen. Wat een verschil met een paar maanden geleden.
Toen deed de aanraking van haar huid hem al duize-
len van lust, nu lieten zelfs haar liefkozingen hem onbewogen. Alleen de herinnering aan haar openge-
scheurde jurk wist hem nog op te winden. Als een
filmscène waarbij je masturbeert. Hij liet de krant
naast het bed vallen en sloot zijn ogen. 'Nee,' hoorde
hij haar weer zeggen. Haar handen om de deurposten
geklemd. Nee. Ferm, autoritair bijna. Die afwezige
blik, die ontwijkende glimlach. Hij hief zijn arm op,
het zachte satijn kraakte onder zijn vingers en haar
kleine borsten sprongen te voorschijn. Hard roze tepels, een moedervlek boven haar navel. Hoe kwetsbaar was ze opeens. En als hij wilde kon hij de jurk
nog verder van haar af scheuren, tot haar billen en
haar heupen toe, verder zelfs, haar geslacht en benen
ontbloten. In één ruk, zoals je ongeduldig een gordijn
wegtrekt. Zodat ze naakt en weerloos voor hem
stond, vol overgave. Rank en tenger als een jong
meisje. Ongeschonden, zonder weerstand, zonder
verleden. Alleen hem toebehorend.

Langzaam kwam hij overeind en begroef zijn gezicht in Julia's nek. Ze sloeg onmiddellijk haar arm om zijn hals, streelde even zijn krullen. Zei ze iets? Niet luisteren. Hij kuste haar schouder, beet zacht in haar tepel, wreef zijn gezicht over haar gladde buik en omklemde met zijn vochtige lippen haar geslacht. Vol overgave, zonder weerstand wilde hij haar. Naakt. Open. Ontsloten. Rilde ze al van ongeduld onder de beweging van zijn tong? Zuchtte ze van genot? Dan nu zijn lichaam op het hare, zijn lippen op haar mond, zijn handen om haar billen. Vlug, vooral vlug. En niet kijken. Niet meer die glanzende ogen zien, die vreemde afwezige blik in de verte. Niet luisteren. Niet denken.

Marius kon het niet laten erover te beginnen.

'Waar zijn de katten?' vroeg hij op een ochtend in de keuken.

Julia stond voor het raam en roerde in haar kopje. 'De katten?' herhaalde ze zonder naar hem om te kijken.

'Ja, volgens mij waren hier vijf siamezen die de hele dag miauwend door het huis renden.'

Ze gaf geen antwoord.

'En het is nu zeker tien dagen dat ze er niet meer zijn. Een kat loopt misschien weg of wordt overreden, maar vijf tegelijkertijd verdwijnen niet. Bovendien hebben ze hun hele leven hier gewoond en katten zijn gehecht aan hun domicilie. Het territorium van deze katten, alhoewel dat verschilt per sekse, is in ieder geval niet groter dan het landgoed. Anderhalve hectare op zijn hoogst. Je zou kunnen denken dat ze plotseling besloten hebben een deel van de herfst in de tuin door te brengen maar voor het maken van beslissingen hebben ze ten eerste niet de intelligentie en ten tweede zijn ze nergens in de tuin te bekennen.'

Julia zette haar thee neer en draaide zich om. Ze lachte. Met schokkende schouders, met lange uithalen.

'Je lacht me uit!' zei Marius.

'Nee, ik lach je niet uit, maar wat je zegt is zo... Nu ja, alsof je voor de klas staat...'

'Het valt me nogal van je tegen dat je er zo onbewogen over bent,' zei hij op gepikeerde toon. 'Hoe lang heb je die beesten wel niet gehad? Ze waren toch van je vader?'

'Jaren,' antwoordde ze. 'Zeker twaalf jaar.'

'En het kan je niets schelen dat ze er opeens niet meer zijn? Je mist ze niet? Je bent niet naar ze op zoek gegaan?'

Ze hield eindelijk op met lachen. 'Ze zijn weg,' antwoordde ze nuchter. 'Zo is het nu eenmaal. Wie weet komen ze wel weer terug.'

'Maar Julia, vijf katten verdwijnen niet! Ze zijn toch niet in rook opgegaan?' Hij zag dat het onderwerp haar verveelde, dat ze geen zin had erover te praten.

Opnieuw schoot ze in de lach. 'Misschien zijn ze

wel in rook opgegaan, Marius, *spontaneous combustion...* Beweerde Papa niet altijd dat katten van een andere planeet komen? Ja, Venus, geloof ik. Ze zijn terug naar huis gegaan.'

'Wat een onzin!' riep hij uit en duwde zijn bord van zich af.

Je niet opwinden, zei hij tegen zichzelf. Rustig blijven. Ze zat hem te sarren. Gewoon niet reageren. En wat kon het hem trouwens schelen waar die mormels gebleven waren? Spontaneous combustion? Waarom niet. Weg is weg. Maar hij kon zich niet bedwingen, haar onverschillige toon ergerde hem mateloos.

'En wanneer ik nu eens van de ene dag op de andere verdwijn?' vroeg hij boos. 'Zeg je dan ook: "hij is weg, zo is het nu eenmaal"?'

'Terug naar de planeet waar je vandaan komt? Jupiter misschien, of...'

'Julia!' Hij pakte haar bij haar arm. De rook van haar sigaret prikte in zijn ogen, verblindde hem. Glimlachte ze? Ja, dezelfde stralende glimlach van die ochtend in het atelier. Zelden had hij haar zo mooi gevonden, zelden had hij zich in haar aanwezigheid zo machteloos gevoeld. Hij liet haar weer los en verzuchtte: 'Jezus, waarom ben ik hier eigenlijk?'

Julia legde haar hand op zijn schouder. 'Omdat je dat wilde,' zei ze zacht.

Hij keek haar onderzoekend aan. Insinueerde ze iets? Vermoedde ze soms dat hij met een vooropge-

steld doel naar Oude Stein was gekomen? 'Wat bedoel je daarmee?' vroeg hij.

'Dat jij het initiatief genomen hebt hier te komen.'

'En jij?'

'Ik?'

'Jij hebt het je allemaal maar laten aanleunen, jou
maakte het niets uit of ik...'

'Het is goed dat je hier bent, Marius,' viel ze hem in
de rede.

'Goed? Voor wie? Voor jou? Voor mij?'

'Voor ons beiden,' antwoordde ze met dezelfde
stralende glimlach. Ze drukte haar sigaret uit in de
asbak en verdween de gang in. Even later hoorde hij
de deur van haar atelier.

'Goed voor ons beiden,' herhaalde hij hardop. En
waarom dan wel? Wat schiet ik hiermee op? Ik kan
beter terug naar Nieuwe Stein gaan. Julia verder laten
barsten, Oude Stein vergeten. De tranen liepen over
zijn wangen. Door de rook in zijn ogen, door die sme-
rig walmende asbak naast hem op tafel.

Het was Julia die hem het eerste zag. 'Marius?' riep ze
na het eten vanuit de salon naar boven. 'Er is iemand
in de tuin.'

'Heb je hem al gezegd dat park Nieuwe Stein aan de
andere kant van het hek is?' antwoordde hij terwijl
hij de trap afkwam.

'Nee, dat mag jij deze keer doen,' zei ze.

Samen bespiedden ze de indringer van achter het

keukenraam. Het was Joep Beekman, fiets aan de hand, rugzak op zijn rug en die idiote pet op zijn hoofd tegen de wind. Hij liep met vastberaden passen op de voordeur af.

'Wie is het, denk je?' vroeg Julia.

Marius gaf geen antwoord. De vlerk, dacht hij. Hoe durft hij hier te komen? Dat was tegen de afspraak. Hij had beloofd zich nergens in te mengen. Verdomme! En dat noemt zich je beste vriend, dat onbetrouwbare... Hij moet hardop gepraat hebben, want Julia keek hem verbaasd aan.

'Wat zeg je?' vroeg ze.

'Het is Joep Beekman,' zei Marius mat.

'Wat komt hij doen? Heb je soms een afspraak met hem?'

'Nee, natuurlijk niet!'

'Hmm,' mompelde ze geërgerd. Joeps komst leek haar evenzeer te ontstemmen als hemzelf.

'We doen niet open,' zei Marius.

'Ik dacht dat het je vriend was.'

'Ja, maar...'

Julia streelde even over zijn hand. 'Doe maar open, dan drinken we een glas wijn met hem,' zei ze met een diepe zucht.

'Aangezien je nooit meer iets van je laat horen, Kruger, dacht ik: laat ik eens kijken hoe het ermee staat.' Zonder op antwoord te wachten liep Joep de gang in, legde zijn pet en zijn rugzak op het dressoir en wreef tevreden in zijn handen. 'Het gaat je goed, zo te zien,' zei hij lachend.

Marius schudde even zijn hoofd. 'Joep, ik dacht dat we,' begon hij op fluistertoon, maar zijn vriend pakte hem bij zijn arm en vroeg luid: 'Is Julia thuis? Je hebt me zoveel over haar verteld, ik kan niet wachten haar nu eens eindelijk de hand te schudden.'

Julia verscheen in de deuropening van de salon. Ze had haar haar opgestoken en de tweed blazer van haar moeder aangeschoten. Joep liep haar met open armen tegemoet. 'Aangenaam, mijn naam is Joep Beekman,' zei hij nadrukkelijk terwijl hij haar hand schudde.

'Kom binnen,' antwoordde ze, op dezelfde vriendelijke toon als waarop haar ouders gesproken hadden. 'Wil jij een fles openmaken?' vroeg ze aan Marius. 'U drinkt toch wel een glas wijn met ons, meneer Beekman?'

'Joep, alstublieft! "Meneer Beekman" klinkt zo officieel.'

Marius aarzelde, wist niet goed wat te doen. Het gedrag van Julia overrompelde hem. Had hij haar zo ooit eerder gezien? Nee, zelfs niet toen ze hem op hoge poten was komen vragen wat hij in de tuin deed. Ze was opeens nogal stijf, heel keurig. Afgemeten en beminnelijk tegelijkertijd. Zoals haar moeder was geweest. Gecontroleerd. Hooghartig wellicht in de ogen van een vreemde. Hij voelde zich buitengesloten, opnieuw door haar verraden. Wat wist hij eigenlijk van haar? Niets. Ze hield het grootste deel van haar persoonlijkheid voor hem verborgen, dat bleek maar weer eens. 'Rood of wit?' vroeg hij ten slotte.

'Rood,' antwoordde Julia resoluut.

'Wat een mooie salon hebt u,' hoorde hij Joep zeggen. 'Het lijkt wel een balzaal...'

Marius liep naar de keuken. Kon hij hen wel alleen laten? Zou Joep zijn mond kunnen houden? Het was duidelijk dat hij alleen hier gekomen was om uit te vinden of Julia inderdaad een advocaat in de arm had genomen. Vliegensvlug trok hij een fles Condrieu open en ging terug naar de salon.

'Ik heb uw vader nooit ontmoet,' zei Joep. 'Maar een van mijn vrienden uit de gemeenteraad, de huisarts Van Vliet, heeft hem als patiënt gehad. Meneer Boyer was toen al heel ziek.'

Marius schonk de glazen in, was te onrustig om te gaan zitten en bleef geleund tegen de schoorsteenmantel staan.

'Ja, ik herinner me Van Vliet,' zei Julia en stak een sigaret op. 'Dat was de opvolger van Barzilay.'

'Precies!'

En zo praatten ze verder. Een nietszeggend gesprek. Over de nieuwe regeling betreffende artsenbezoeken, over hoe Marius en Joep bevriend waren geraakt, over de uitzonderlijk mooie zomer, over de komende competitie op de tennisclub. Small-talk, iets waartoe Marius Julia niet in staat had geacht. Misschien is ze veel minder zonderling dan ik denk, ging het door hem heen. Misschien ben ik degene die zonderling is.

Nadat Joep zijn wijn opgedronken had – te snel, aan zo'n barbaar is geen Condrieu besteed, dacht Marius – zette hij zijn glas neer en kwam overeind. 'Zo, ik ga maar weer eens huiswaarts,' zei hij. 'Een goeie twintig minuten fietsen met tegenwind.'

Julia kwam ook overeind, glimlachte beleefd.

Joep deed twee stappen over het tapijt, zijn hoofd gebogen, in gedachten verzonken. Plotseling keek hij op en wendde zich tot Julia. 'Dit was natuurlijk geen officieel bezoek,' zei hij. 'Maar voordat ik wegga wil ik toch even de toekomst van Oude Stein ter sprake brengen.'

'Dat is nergens voor nodig,' viel Marius hem in de rede.

Joep gebaarde hem dat hij stil moest zijn. Dat irritante autoritaire gebaartje van hem dat hij als student al gehad had. Wijsvinger omhoog, vermanend, dreigend haast.

'U hebt verkozen niet met ons in contact te treden, dat is uw goed recht. Maar persoonlijk zou ik het fijn vinden wanneer de dingen op een prettige manier afgehandeld worden. Voor u, voor Marius, voor mij en voor de band die al zo lang bestaat tussen Oude en Nieuwe Stein.'

Julia stond voor hem, haar handen in de zakken van haar jasje, rechtop, afwachtend, nog steeds met die beleefde glimlach.

'Joep, alsjeblieft,' begon Marius. Maar nu was het Julia die hem tot stilte maande.

'Papa zou niet anders hebben gewild,' zei ze. 'Hij heeft zich destijds ook niet tegen de verkoop van die vierhonderd hectaren verzet.'

Joep knikte, wist zijn verbazing over haar coulante houding te verbergen. 'Daar ben ik blij om,' zei hij. 'Op de praktische kant, maar daarover hebt u natuurlijk ook al een brief ontvangen, kunnen we misschien nog eens terugkomen. Het is tenslotte al augustus...'

'Ja,' antwoordde Julia hem en stak haar hand uit. 'Dat is goed.'

Marius liet hem uit. Op de trap voor het huis zei hij zacht: 'We hadden afgesproken dat je me mijn gang zou laten gaan, Beekman!'

Joep trok hem vol ergernis mee de trap af in de richting van zijn fiets. 'Ja! Maar we hadden ook afgesproken dat je er serieus werk van zou maken en dat doe je niet. Je bent nog even lamlendig als altijd, Marius. Ik bedenk de ene oplossing na de andere voor je. Je wilt afgekeurd worden om je aan de schilderkunst te wijden. Ik zorg ervoor dat je afgekeurd wordt. Je bent gedeprimeerd in Den Haag. Ik neem je maandenlang in huis en vind ten slotte een appartement voor je in Nieuwe Stein. Je voelt je eenzaam. Ik regel dat je in het bestuur van de tennisclub komt. Je wilt al sinds ik je ken niets liever dan terug naar Oude Stein. Ik werk me uit de naad om je een unieke kans te geven iets van je leven te maken met dat informatiecentrum. En wat doe je? Niets. Je zuipt de wijncollectie van Boyer op, beeldt je in kasteelheer te zijn en hebt ondertussen niet door dat je *Lady Chatterley's lover* geworden bent. Want je denkt toch niet dat ze je au sérieux neemt, Kruger? Ga toch weg. Julia Boyer, ze is trouwens veel mooier dan ik had verwacht, heeft alles heel goed op een rijtje, beter dan jij...'

Marius kon zich niet langer bedwingen. Hij greep Joep bij zijn hals en duwde hem hardhandig tegen de muur. 'Klootzak! Godverdomde over het paard getilde klootzak die je bent.'

Met een enkel gebaar had Joep zich losgerukt. 'En nog agressief ook,' zei hij hoofdschuddend en pakte zijn fiets.

Marius leunde tegen de muur, het duizelde hem voor de ogen. Joep had gelijk natuurlijk, zoals hij altijd in alles gelijk had gehad. 'Het spijt me,' zei hij met een zucht.

'Je moet nu eens ophouden spijt te hebben en beginnen met je leven in de hand te nemen,' antwoordde Joep en zette zijn pet op. Toen Marius niets terugzei, stapte hij op zijn fiets, klopte hem even goedmoedig op zijn schouder en mompelde: 'Aju, en houd me op de hoogte.'

Toen Marius een paar minuten later het huis betrad was Julia niet meer in de salon. Vanuit de gang zag hij onder de deur door licht branden in haar atelier. Hij rinkelde tevergeefs met het serviesgoed in de keuken in de hoop dat ze te voorschijn zou komen en nam ten slotte de halflege fles mee naar bed.

Ook het tennissen lukte niet meer. Hij was zijn conditie kwijt en had zelfs verloren van dat jonge knaapje uit Vreeswijk. 'Je zuipt te veel, Kruger,' zei hij tegen zichzelf. 'Je wordt vadsig.' Hij plofte buiten adem neer op het bankje naast de baan en veegde zijn bezwete gezicht af met een handdoek. Kamfer; de geur van Oude Stein, zo sterk dat hij er van moest kokhalzen. Tussen zijn blote benen door keek hij naar het gras. Zijn hart bonsde in zijn keel, zijn wangen gloeiden. Krioelende rode mieren rond een stukje brood. Weer dat holle gevoel in zijn maag. Hij streek zijn haar naar achteren, rekte zich uit. Toen hij op de parkeerplaats de luide lach van Yvonne hoorde, sprong hij overeind en liep vlug naar de andere uitgang. 'Ik begrijp dat je verhuisd bent, Marius,' hoorde hij haar in gedachten tegen hem zeggen. Met die wat spottende donkere blik, haar lippen een beetje geopend, een stukje van haar roze tong uitdagend tegen haar tanden. Die had ik flink moeten neuken, dacht Marius. In de kleedkamer, onder de douche. Of in haar auto toen we samen naar de Makro gingen. Yvonne. En Anne-Marie en Gerda en al die andere geile wijven die om hem heen gehangen hadden. Beter de fokhengst van Festina dan de stalknecht van Julia Boyer. Maar ook daar was hij te lamlendig voor geweest. Verder dan een keer in haar tieten knijpen was het met Yvonne nooit gegaan.

Zodra hij het hek van Oude Stein gepasseerd was, werd zijn misselijkheid minder. Hij zette zijn fiets weg en liep via een omweg naar het huis. Heel langzaam, slenterend. Diep ademhalen, zei hij tegen zichzelf. Jezelf helemaal leegmaken. Zoals de meditatieoefeningen van Beekman. Gedachten laten komen en gaan. Julia in haar atelier. Werkte ze inmiddels weer aan iets nieuws? Een volgend excuus om hem te negeren. En wanneer het huis ontruimd zou moeten worden, waar ging ze dan heen met alle rotzooi? Want verzetten zou ze zich niet. Natuurlijk niet. Niemand ging zich verzetten. Dat was allemaal maar een droom geweest. Een jongensdroom. Een inhaalmanoeuvre, zoals Joep dat noemde. Niet aan denken. Laten gaan, alles laten gaan. Hij bleef even voor de appelboom staan, streelde de nerven op de stam van de al wat kalende lindeboom en bukte vervolgens voor een groot spinnenweb tussen de verdorde rozenstruiken.

Een geel-zwart-gestreepte spin zat onbeweeglijk in het midden te wachten tot een insect zich in de fijngeweven mazen zou verstrikken. Zo nu en dan deed de wind het web zacht vibreren, maar pas toen hij zo krachtig blies dat een aantal draadjes knapte, ontwaakte de spin uit zijn sluimer. Marius bestudeerde het behendige klimmen en dalen van het beest, de vliegensvlugge beweging van zijn poten tijdens het weven van de draden. Op een of andere manier kon hij zijn ogen er niet van afhouden. Als werd hij in het patroon van de mazen van het web gezogen. Verspringende figuren voor zijn ogen en steeds dezelfde beweeglijkheid van de spin. Duizelingwekkend. Onaangenaam. Een gevoel dat op hoogtevrees leek. Een beeld dat hem aan iets deed denken. Maar wat?

Opnieuw blazen, een grotere scheur veroorzaken, een gapend gat, onherstelbaar deze keer, ging het door hem heen. Wat was dat beeld ook al weer? Hij dacht opeens aan de tijd dat hij de pootjes van vliegen uittrok en rupsen halveerde. Naast de bijkeuken van oom Ger. Uit verveling. Misschien wanneer Julia niet was komen opdagen en hij de hele middag op zijn knieën aardappelen had gerooid. Voor spinnen had hij zich nooit geïnteresseerd, zelfs niet om ze te martelen. Tussen alle boeken die hij van meneer Boyer had geleend, had iets over spinnen gezeten. Hij herinnerde het zich omdat hij het een onleesbaar werk vond. Geen normaal biologieboek, maar een studie over de symboliek van de spin en het web door de eeuwen heen. Hij had het vlug doorgebladerd en het bij zijn volgende bezoek weer aan meneer Boyer teruggegeven. 'En?' had deze gevraagd.

'Ik geloof dat ik me meer interesseer voor de andere boeken.'

'Je hebt het dus niet gelezen,' zei meneer Boyer. Toen Marius geen antwoord gaf, sloeg hij het boek open en las hardop: 'De kwetsbaarheid van het spinnenweb doet denken aan de kwetsbaarheid van verschijningen, van dromen, van visioenen; van een deel van de werkelijkheid dat wij illusoir noemen. In dit licht zou men kunnen zeggen dat de spin de maker, de kunstenaar, van dit specifieke weefsel van de wereld is dat als een gordijn tussen de alledaagse werkelijkheid en de hogere realiteit hangt. Dit is dan ook...'

Toen wist hij het opeens: het collier. Een duizelingwekkend patroon van diamanten en smaragden. Een web van mysterieuze tekens in een taal die hij niet beheerste. Hij had zijn ogen er niet van af kunnen houden. Het was alsof het tot hem sprak, hem verleidde met die vreemde schittering. Toen hij ten slotte zijn hand ernaar uitgestoken had en de koele stenen door zijn vingers liet glijden, had hij de ketting niet meer los kunnen laten. Een gevoel alsof hij het wilde opeten, zich ertegen aan wilde drukken, strelen, liefkozen. Het behoorde hem toe, had hem als eigenaar gekozen. Zacht en stevig tegelijkertijd lag het in zijn handpalm. Het collier! Het collier! Plotseling kwam hij overeind, greep een stok van de grond en wierp een laatste blik op het web. 'De hogere realiteit. Verschijningen, dromen, visioenen...' siste hij tussen zijn tanden, en met één enkel gebaar van zijn hand was het web een bungelend draadje geworden.

Toen hij zijn tas in de kast wegzette, zag hij dat de deur van Julia's atelier wijd open stond. Het licht scheen in een brede baan op de vloer van de smalle gang. Er kwam hem een geur van koffie en sigaretten-rook tegemoet. Ze had hem vast niet zo vroeg terug-verwacht. Meestal bleef hij een deel van de middag op de club om te helpen in de bar of om naar CNN te kij-ken en wanneer hij dan thuis kwam zat Julia aan de keukentafel of lag languit op de bank in de zitkamer naar muziek te luisteren. Moest hij haar zeggen dat hij er was? Geluid maken? Kuchen? Hij voelde zich een indringer. Ongemakkelijk, bang om gesnapt te worden. Misschien kon hij het beste maar naar de bi-bliotheek gaan en een beetje lezen. Of eerst een boter-ham eten? Hij ging naar de keuken, maar toen hij Ju-lia's stem hoorde bleef hij staan. Ze praatte. Tegen hem? Nee. Tegen zichzelf. Op zijn tenen sloop hij door de gang.

'Een ziel,' hoorde hij. Alsof ze iets citeerde of voor-las. Haar stem klonk anders. Dieper, heser. Hij schoof nog een klein eindje in de richting van de deur om te kunnen zien wat ze deed. Lag ze op de bank, liep ze rond, stond ze bij het raam? Opeens zag hij haar hoofd en week geschrokken terug. Had ze hem ge-zien? Nee, ze zat op een stoel te roken en keek met een glimlach in de richting van het platform. Bevallig, vol aandacht, stralend. Was dat Julia? Dezelfde Julia die vanochtend naast hem wakker geworden was? 'Mooier dan ik had verwacht,' hoorde hij Joep weer zeggen. Ja, zo mooi dat hij zonder zich erom te be-kommeren of ze hem zou ontdekken weer naar voren schoof. Haar beter zien, dacht hij alleen maar. Haar naderen, haar aanraken. Zijn verhitte handen koelen aan haar gladde wangen, zijn droge lippen laven aan haar open mond, het licht van haar stralende wangen drinken. Zich bezatten, zich verdrinken in haar schoonheid. Maar haar stem deed hem wederom terugdeinzen. Wat zei ze?

'Een deel van de werkelijkheid dat wij illusoir noemen...' Of dacht hij alleen maar dat ze dat zei? Zei ze iets anders? Zei ze niets? Marius moest zich staande houden aan de muur. Godverdomme! Ze praat met iemand, schoot het plotseling door hem heen. Ze is niet alleen. Het is voor een ander dat ze zo straalt en lacht. Niet voor hem was die vertederde blik. Nooit had ze zo naar hem gekeken. Nooit. Zelfs niet in het begin, zelfs niet tijdens die eerste keer op het bontvel voor de haard. Ze heeft een ander. Terwijl hij naar de tennisclub was, ontving ze een andere man. En 's nachts ook en wie weet, misschien zelfs overdag wanneer hij een ommetje maakte in de tuin. Hij sloot zijn ogen. Langzaam begon de achtbaan te roetsjen. Verdomme! Wie was het? Wie? Maar hij wist het antwoord al, had het eigenlijk al geweten vanaf het moment dat hij haar opzij geduwd had en het atelier was binnengedrongen. Het was dat afschuwelijke beeld.

Koffers pakken en naar huis gaan, was het eerste wat hij dacht. Maar bij de trap naar boven bleef hij staan. Nee, het was beter om zonder iets te zeggen weg te lopen en alles te laten zoals het was. Verdwijnen, zoals die rotkatten. Spontaneous combustion! Dat zou haar leren, dan zou ze wel voelen hoezeer ze hem nodig had. Hij opende de voordeur, liep zo zacht mogelijk over de houten brug en zette het zodra hij het huis gepasseerd was op een lopen. Het hek uit, langs de ingang van de tennisbaan, over de spoorbaan in de richting van de autoweg, in looppas, sneller, steeds sneller. Bij de vangrail bleef hij buiten adem staan. Auto's raasden voor hem langs, in de verte zag hij de nieuwbouw van Nieuwe Stein. De ruiten van de twee torens blonken onwezenlijk in de laaghangende zon. Daar woon ik, dacht hij. Daar. De jojo, zijn maag kromp samen, steken in zijn zij. Ik heb niets gegeten, dacht hij. Dat is het. Sinds vanochtend niets gegeten. Julia mag dan een andere minnaar hebben, Kruger, maar dat is nog geen reden om je hoofd te verliezen. Eerst naar de club gaan en een broodje kaas eten, daarna zou hij zich vast beter voelen. Ja, ja, dreunde het onder het lopen door zijn hoofd. Dat is het. Dat is het. Ze heeft een ander. En daarom kan ze zich niet aan mij binden. Ja, ja. Ze belazert me. Ze liegt, ze is oneerlijk. Ze is geen haar beter dan ik. Maar bij de spoorbaan aangekomen liet hij het pad naar de tennisclub links liggen en liep terug in de richting van het landgoed.

'Weet je, Julia is ernstig ziek,' zei hij op luchtige toon alsof hij het tegen Joep had. 'Te weinig stimuli van de buitenwereld, altijd maar alleen in dat atelier met die beelden. Je kunt je voorstellen wat er dan gebeurt. Heb je me zelf niet verteld dat het brein evolutionair zo geprogrammeerd is dat het voortdurend op zijn hoede is om signalen van buitenaf te verwerken? Wanneer er te weinig externe signalen zijn, zoekt het iets anders om zich op te richten. Ze heeft een obsessie met haar werk, ze denkt dat die lelijke koude beelden levende wezens zijn. Ernstig, bijzonder ernstig, niet? Wie weet kunnen we haar laten opnemen. Dan zijn we in één klap van alle problemen af. ' Dat is het. Dat is het. Haar laten opnemen, haar opsluiten, haar van die onzin genezen. Hij liep schuin over het gras naar de schuur. Geen hogere realiteit, mijn beste Boyer. Geen spirituele hocus-spocus. Nee. Water-en-zeep. Zo duidelijk als wat. Hij zou haar van haar obsessie bevrijden. Zoals hij in het begin de rozen van luis ontdaan had. Daarom was hij op Oude Stein, dat was de reden waarom hij in haar leven gekomen was. Het is goed dat je hier bent, had ze gezegd. Goed voor ons beiden.

De deur van haar atelier stond nog steeds halfopen. Verstrikt als een insect in een web was ze. Machteloos spartelend, wanhopig verloren in een ziek patroon. Verspringende figuren, net zo duizelingwekkend als het collier. Hij zou hen beiden bevrijden, hij zou het zware gordijn dat tussen hen en de werkelijkheid hing optrekken. 'Lieve Julia, ik zal ons bevrijden...' riep hij en sprong het atelier in. Met drie slagen van de bijl die hij in zijn opgeheven arm hield, was het beeld tot brokstukken gereduceerd.

Marius sprong opzij. Het platform kraakte, de grond dreunde onder het gewicht van het rollende marmer. Een vallend hoofd, een verbrijzelde arm, een door-midden gehouwen romp. Oorverdovend als donder, en toen was alles stil. Geen enkel geluid. Zo stil als het op Oude Stein nog nooit geweest was, dacht hij. Alsof het landgoed verlaten was, overwoekerd door plan-ten en struiken, vergeten door de wereld. Hij ademde niet, zij ademde niet. Ze waren dood. Verlamd, ver-steend. Tot beelden geworden.

Hij sloot zijn ogen. Zo moe was hij opeens, zo loom en uitgeput, dat hij niet meer denken kon. Hij zag het avondlicht door zijn oogharen, voelde de wind van het openstaande raam op zijn gezicht. Het licht, de wind. Verder niets. Geen gedachten had hij meer. Geen woorden in zijn hoofd, geen jojo meer in zijn borst.

Een diepe zucht, vreemd en onmenselijk als van een gewond dier, deed hem opschrikken. Julia zat op de grond naast het gebroken hoofd geknield. Met haar vingers streelde ze het marmeren gelaat. Voor-hoofd, ogen, neus, mond, kin. Ze ziet me niet, dacht hij. Ze ziet me nog steeds niet. Maar terwijl hij het dacht keek ze hem met wijd opengesperde ogen aan. Van top tot teen nam ze hem op. Zijn hoofd, zijn be-nen, zijn armen, de bijl in zijn hand. Een lege blik die voornamelijk verwondering uitdrukte. Vervolgens wendde ze zich opnieuw naar het hoofd en streelde verder. Marius zette de bijl tegen het platform, aarzelde even en sloop met opgetrokken schouders het vertrek uit.

HOOFDSTUK 11

Het eerste wat hij deed was naar boven lopen, zich uitkleden en in bad gaan zitten. Stromend water had hem altijd tot rust weten te brengen. Als klein kind al. Wanneer hij onhandelbaar was pakte zijn moeder hem zonder iets te zeggen op, stopte hem in een lege tobbe en zette de tuinslang aan. Binnen vijf minuten was hij dan tot bedaren gekomen. In de tijd dat het zo slecht met hem ging in Den Haag, nam hij soms wel vier keer per dag een douche. Eindeloos lang stond hij onder de lauwe straal en luisterde met gesloten ogen naar het zachte geklater. Nadat hij zich er eindelijk toe had weten te brengen de kraan uit te zetten en zich af te drogen, voelde hij zich kalmer en gedurende enkele uren minder angstig. De zee had hetzelfde effect. Hoge golven, opspattend schuim, met grote slagen tegen de stroom in zwemmen. Na afloop lag hij uitgeput en voldaan naast de branding op het Scheveningse strand.

Marius liet zich met opgetrokken knieën achterover glijden, zodat de harde straal op zijn buik kletterde. Het duurde niet lang voordat hij geheel onder was. Tot zijn oren, tot zijn wangen toe. Toen het water bijna aan zijn lippen stond, draaide hij de kraan net niet uit en bleef zonder te bewegen liggen. En nu niet denken aan wat er gebeurd is, zei hij tegen zichzelf. Straks misschien. Nu alleen naar het water luisteren. Hij voelde zich helderder dan hij in lange tijd geweest was, opgelucht zelfs. Alsof er een zware last van hem af gevallen was. En nu je iets leuks voorstellen, zoals zijn moeder hem vroeger altijd zei wanneer hij niet slapen kon. Iets leuks? Iets leuks? Hoe lang was het geleden dat hij voor het laatst zorgeloos en opgewekt aan iets leuks gedacht had?

Julia liet zich de volgende dagen niet zien en de deur van haar atelier bleef gesloten. Om de paar uur luisterde Marius of hij iets hoorde, maar behalve een paar keer kuchen was het muisstil. Het hele huis was in stilte gehuld, een zware bedrukte stilte die hem zo nu en dan in paniek deed raken. Terwijl hij in de keuken zat, of de meubels in de zitkamer afstofte. Een gierende angst in zijn maag, in zijn longen. In bad ging het meestal over, en zo niet, dan schonk hij zich een groot glas van meneer Boyers Lagavulin Scotch in. Dat hielp ten slotte ook om in te slapen.

Hij had het hele huis netjes opgeruimd, zijn koffers waren gepakt. Klaar om te vertrekken. Natuurlijk zou Julia hem wegsturen. Wat hij gedaan had was onvergeeflijk, maar hij wilde het uit haar mond horen. 'Ga weg, ik wil je nooit meer zien.' Ga weg, ga weg... Het was te laf zich uit de voeten te maken voordat ze de kans had gehad hem te vervloeken. Die fout had hij al een keer eerder met meneer Boyer gemaakt. Hij had haar verwensingen verdiend, hij was een onvoorstelbare klootzak, en anticipeerde bijna met plezier op het moment dat ze hem in het gezicht zou spugen. Want zelfs wanneer het echt zo was geweest dat Julia zich inbeeldde dat ze een of andere mystieke band met dat beeld gehad had, dan was het niet aan hem die illusie te doorbreken. Hij had de hulp van Joep kunnen inroepen, hij had met haar erover kunnen praten, maar het laatste wat hij had moeten doen was het beeld te lijf gaan.

'Je hebt het weer eens allemaal verpest, Kruger,' zei hij steeds tegen zichzelf, 'zoals keer op keer in je leven.' Die gedachte deed hem goed, was vertrouwd terrein. Geen hooggespannen verwachtingen meer, geen ambitieuze plannen. Hij ging gewoon terug naar Nieuwe Stein om daar vol zelfbeklag zijn bekende wonden te likken. Hij was een mislukkeling, een miserabele nietsnut. Altijd al geweest. Niet in staat een normale verhouding met Julia op te bouwen. Niets gedaan om ten minste het huis op Oude Stein voor de bulldozers te sparen. Yvonne niet durven naaien terwijl ze niets liever wilde. Geposeerd als kunstschilder terwijl hij in feite nog geen rechte lijn kon trekken. Zich onmogelijk gemaakt op de scholengemeenschap. Voor zijn eindexamen gezakt. Dat collier gepikt en toen Boyer erachter was gekomen als een laffe hond op de vlucht geslagen.

Om de stilte te breken speelde hij Bach, voor het eerst sinds hij op Oude Stein was. Julia had hem weliswaar meer dan eens gevraagd na het eten iets op de piano te spelen, maar hij had altijd geweigerd uit angst haar teleur te stellen. Het was jaren geleden dat hij regelmatig speelde. Vanaf het moment dat hij opgehouden was met werken, had hij geen instrument meer aangeraakt. Geen geld om een piano te kopen was zijn excuus geweest, maar dat was onzin. Hij had geen zin meer gehad ergens zijn best voor te doen. Of het nu muziek of schilderen of lesgeven was, iedere vorm van ambitie vervulde hem destijds met weerzin. En met angst.

Onwennig gleden zijn handen over de toetsen. Hij had de partituur van *Das wohl temperierte Klavier* voor zich op de standaard gezet, maar in van het blad lezen was hij altijd slecht geweest. Hij zocht naar de melodie met zijn gehoor, met het motorische geheugen van zijn handen. Aarzelend, zacht, net zo lang totdat hij de volgende frase gevonden had en het zestiende preludium vanaf het begin luid en zonder onderbrekingen kon spelen. Misschien hoopte hij dat Julia hem zou horen, dat ze zich zou herinneren wat hij destijds in de auto over dit stuk gezegd had. Dan zou ze tenminste weten dat hij berouw had. Dat hij zelf ook wist wat voor een klootzak hij was.

Na drie dagen kwam ze te voorschijn. Marius hoorde haar opeens in de keuken terwijl hij de luiken van de eetkamer vergrendelde. Het was die ochtend gaan stormen en de krachtige wind deed alle ramen op de begane grond vervaarlijk klapperen. 'Winter,' had hij tegen zichzelf gezegd. 'Een jaargetijde dat het huis niet meer zal kennen. Haardvuren en de geur van natte bladeren.' Hij bleef aarzelend in de gang staan. 'Kom, Marius, haar onder ogen komen en oprotten naar die sfeerloze nieuwbouwflat van je.' Heel langzaam liep hij naar de keuken, zijn hart bonkte in zijn keel, zijn vingers hield hij verkrampt op zijn rug. Julia stond naast de keukenkast en dronk een groot glas melk. Toen hij voor haar ging staan, dronk ze rustig verder en ze keek hem pas aan toen het glas helemaal leeg was. Een onderzoekende blik.

'Je zult wel honger hebben na die...' zei Marius maar hij maakte zijn zin niet af. Te ironisch had zijn stem geklonken, vol ressentiment zelfs, alsof hij het toch niet laten kon zich bij voorbaat tegen haar boosheid te verdedigen.

'Nee,' antwoordde Julia.

Nu pas zag hij hoe slecht ze eruitzag. Blauwzwarte wallen onder haar ogen, haar gezicht mager, bleek. Hij bleef zwijgend tegenover haar staan, met zijn handen nog steeds op zijn rug, maar ze zei niets. Ze zette het glas in de gootsteen, stak een sigaret op en keek naar de post die op tafel lag.

'Zeg het dan,' zei Marius na een tijdje.

'Wat?'

'Dat je wilt dat ik weg ga, dat ik het beste wat je ooit

gemaakt hebt volstrekt onnodig vernield heb, dat ik een...'

Heel rustig keek ze naar hem op, nam een trekje van haar sigaret, blies de rook over de tafel.

'Het was niet onnodig,' antwoordde ze zacht. 'Het was misschien gewelddadig maar niet onnodig...' Ze draaide zich om en pakte een asbak van het aanrecht. Zonder hem aan te kijken vervolgde ze: 'Ergens diep van binnen blijf je toch de overtuiging houden dat het je eigen creatie is. Een stuk steen dat dankzij jouw handen zijn uiteindelijke vorm gevonden heeft. Je hebt bovendien een band met de materie, je hebt je aan het object gehecht. Iedere lijn, iedere welving zit in je vingers. En dat gevoel is moeilijk uit te bannen. Noem het trots of ijdelheid. Hybris, zou Papa zeggen. Ik had zelf nooit de moed gehad het te doen. Ondanks het feit dat ik heel goed wist dat het onvermijdelijk was om de toekomst te waarborgen. Toekomst of...' Ze dacht even na, aarzelend, zoekend, alsof ze het niet tegen hem maar tegen zichzelf had. 'Nee, voortgang, bedoel ik eigenlijk. Een volgende stap. Zonder jou had ik het nooit gekund...' Ze zweeg, keek uit het raam en was opeens geheel in gedachten verzonken.

'Je wilt dus niet dat ik wegga?' vroeg Marius verbaasd. Hij had niets begrepen van wat ze gezegd had. Iets over het creatieve proces, over het object, de materie. Het enige wat was blijven hangen, was haar laatste zin.

'Nee, natuurlijk niet.' Ze glimlachte een beetje treurig en stak haar hand naar hem uit. 'Je moet blijven. Je maakt nu deel uit van wat er gebeurt. Van wat er gaat gebeuren.'

'Van wat er gaat gebeuren?' herhaalde hij en omklemde haar koude vingers.

Ze maakte een gebaar in de lucht. 'Oude Stein, het landgoed. Je begrijpt wel wat ik bedoel.'

'Maar...'

Zonder hem te laten uitpraten drukte ze haar mond op de zijne. Zo tenger was haar lichaam geworden dat hij haar omhelzing nauwelijks durfde te beantwoorden.

Eerst was hij opgelucht, vrolijk zelfs. Hij hielp haar met het opruimen van de brokstukken in het atelier, veegde de vloer aan, stofzuigde de vensterbank. Ze sprokkelden aanmaakhout voor de haard, 's avonds lagen ze samen op het bankstel en luisterden naar muziek. Een idylle. Was dit niet wat hij al die tijd gewild had? Samenzijn, het gevoel hebben dat ze hem nodig had. Maar na een paar dagen werd hij somber. Er was iets wat niet klopte, iets wat hem dwars zat. Een brok in zijn keel en steeds weer het gevoel dat hij moest overgeven. Hij voelde zich lamlendig, gefrustreerd. Alles ging moeizaam, leek hem tegen te werken. Of het nu de afwasborstel of een knoopje van zijn overhemd was.

'Ga je niet tennissen?' vroeg Julia.

Nee, hij ging niet tennissen. Hij ging geen boodschappen doen. Hij ging niet naar huis om zijn post op te halen. Vanachter zijn boek observeerde hij Julia op de bank. Ze bewoog niet en staarde uitdrukkingsloos voor zich uit. Is ze nog wel mooi, vroeg hij zich af. Zo bleek en hard, zo schraal en gedecideerd. Ze had me beter kunnen wegsturen in plaats van me te bedanken, ging het opeens door hem heen. En bij die gedachte verdween voor het eerst in dagen dat nare gevoel in zijn slokdarm. Verdomme! Wat moest hij met haar vervloekte begrip? Met die praatjes over hybris en onvermijdelijkheid? Hij had iets onvergeeflijks gedaan en de enige reactie die hij van haar gekregen had, was dankbaarheid. Zou meneer Boyer ook zo hebben gereageerd wanneer hij de moed had gehad over het collier te beginnen? 'Dank je, Marius, je hebt me een grote dienst bewezen... ' Die vervloekte minzame superioriteit van de Boyers. Nooit verloren ze hun kalmte, nooit een onvertogen woord. Altijd stabiel, altijd even voorkomend. Dat was wel waar hij zich het meest aan ergerde bij Julia; wat er ook gebeurde, wat je ook deed, nooit liet ze zich gaan, nooit werd ze kwaad. Geen wonder dat hij kotsmisselijk was. Het was om ziek van te worden. Razend. Witheet.

Bovendien had het niets opgelost. Wanneer Julia hem de deur gewezen had dan was de situatie tenminste duidelijk geweest. Einde verhaal. Weer een mislukking, op naar de volgende. Maar nu was hij haar gevangene en kon hij geen kant op. Ze zat daar maar urenlang in gedachten verzonken in het niets te turen. Net zo afwezig en ongrijpbaar als voorheen. Attenter misschien, warmer dan eerst, maar nog net zo gesloten en onwillig haar gevoelens en gedachten met hem te delen als toen ze hele dag in haar atelier doorbracht. Hij liet zijn boek zakken en vroeg op malicieuze toon: 'En jij? Ga jij geen nieuw beeld beginnen?'

Ze keek even verstoord naar hem op. Even dacht hij dat ze dan nu eindelijk in toorn zou ontsteken, maar nee, ze glimlachte. Honingzoet, tergend welwillend. 'Nee liefje,' antwoordde ze. 'Ik ben opgehouden met beeldhouwen...'

'Het gaat niet goed met me,' zei Marius.

'Ja, dat is duidelijk,' antwoordde Joep ernstig.

Ze zaten samen aan de bar van het clubhuis te wachten op hun bestelling. Van tennissen was niets gekomen. Het regende en Marius had bovendien geveinsd dat hij last van zijn knie had. Ze zwegen beiden. Marius had het koud, hij zat met zijn schouders opgetrokken en wreef zenuwachtig in zijn handen.

'Circulatieproblemen?' zei Joep ten slotte.

'De hele mikmak – angstaanvallen, slapeloosheid, denken aan de dood, huilbuien, geen honger...' Doktertje spelen, dacht hij, dat deed Joep het liefste, dat was zijn beste rol. Maar hij dacht het zonder bitterheid deze keer. Meer als simpele constatering over het karakter van hun gesprek. 'Noem het maar op, net als vroeger,' voegde hij er na een tijdje met een zucht aan toe.

'Hmm,' mompelde Joep en nam een hap van zijn tosti. Marius roerde zijn broodje kaas niet aan en schoof het bord een eindje van zich af. In zijn jaszak zocht hij naar zijn pijp.

'Wat wil je doen?' vroeg Joep toen hij zijn mond leeg had.

'Ik weet niet...'

'Hoe gaat het tussen jou en Julia?'

'Slecht,' antwoordde Marius. 'Er is niets tussen ons, zoals je zelf al eens terecht zei. Bovendien heb ik haar laatste kunstwerk kapotgemaakt.'

Joep wilde een nieuwe hap nemen, maar nam de tosti onmiddellijk weer uit zijn mond. 'Hoezo kapotgemaakt?'

'Met een bijl in stukken gemept...'

'Jezus, Kruger!'

'Ja, ik weet het, ik weet het,' zei Marius en sloeg zijn handen voor zijn gezicht.

Joep zweeg. Na een tijdje nagedacht te hebben vroeg hij: 'En hoe heeft ze daarop gereageerd?'

'Ze is me dankbaar. Zie je het voor je? Dankbaar! Om kotsmisselijk van te worden. Ik heb bedacht dat dat waarschijnlijk ook de reactie van Boyer op het pikken van die ketting zou zijn geweest. Ze zijn zo hoogstaand in die familie dat ze zich nooit verwaardigen gevoelens als boosheid of verontwaardiging te hebben. Dat is contraproductief, dat genereert negatieve stralingen. Je moet niet oordelen, je moet anderen dienen en jezelf tot in de grootst mogelijke perfectie zien te vervolmaken... Wat er ook gebeurt. Dank u, meneer de burgemeester, dat u mijn vierhonderd hectaren wilt kopen, dank u, meneer de minister, dat u...'

Joep pakte hem bij zijn arm, maande hem tot stilte. 'Rustig aan, Marius.

Marius nam opeens een enorme hap van zijn broodje en vervolgde met volle mond. 'Ik had nooit terug moeten gaan naar Oude Stein. Stom, stom, stom!'

'Je vindt misschien dat het mijn schuld is?'

'Nee,' antwoordde hij en smeet het broodje ongeduldig terug op het bordje. 'Natuurlijk is het mijn eigen schuld, Beekman, zoals alles mijn eigen schuld is. Jij wilde alleen helpen. Ik heb je bovendien belazerd; ik heb nooit geloofd in dat informatiecentrum. Ik dacht: als ik maar één zomer op Oude Stein kan doorbrengen, één zomer die droom kan verwezenlijken. Croquet onder de lindebomen, voor het openstaande raam pianospelen. Wraak nemen op Boyer, mijn gram halen. Daar had ik alles voor over.'

'En Julia?' vroeg Joep. 'Wat voel je voor haar?'

Marius haalde zijn schouders op. 'Machteloosheid doordat ze niet van me houdt.'

'Waarom houdt ze niet van je?'

'Omdat ik een miezerige mislukkeling ben.'

'Je moet daar weg,' zei Joep en pakte zijn portefeuille om te betalen. 'Zo snel mogelijk.'

'Terug naar die flat?'

'Nee, kom maar bij ons in Maarssen logeren.'

'Morgen?' vroeg Marius toen ze op het parkeerterrein waren aanbeland.

'Ja, aan het eind van de middag. Ik zal tegen Trudy zeggen dat ze je bed opmaakt.'

Ze zaten samen op de bank.

'Ik moet je iets bekennen,' zei Marius.

Julia richtte zich met een welwillende glimlach naar hem op. 'Wat?'

Wat ga je haar bekennen, Kruger, zei hij tegen zichzelf. Welke van je misstappen kies je? Het collier? De leugens over je zogenaamde eerste liefde? Het stapeltje Zwitserse francs? Je besluit om weer bij Joep en Trudy in te trekken?

Julia keek hem afwachtend aan, een beetje geamuseerd.

'Joep en ik... begon hij aarzelend. Hij stak zijn pijp aan, de vlam van zijn aansteker flakkerde. Trilde zijn hand? Ik moet hier weg, dacht hij. Zo snel mogelijk. 'Toen ik hier voor het eerst kwam,' vervolgde hij, 'was dat voornamelijk omdat Joep en ik een plan gesmeed hadden over de bestemming van het huis. We wilden er een regionaal informatiecentrum van te maken. De gemakkelijkste constructie was dat jij het huis aan de gemeente Nieuwe Stein zou doneren. Door je te verleiden hoopte ik je zover te krijgen.'

Julia schoot in de lach. Niet gemaakt, niet beleefd,

maar een echte natuurlijke schaterlach. 'Wat een moeite,' gierde ze. Ze liet zich tegen hem aan vallen, klopte bemoedigend op zijn knie. 'Waar moet ik tekenen?' vroeg ze nog steeds lachend.

Hij ergerde zich aan haar reactie. 'Ben je niet verontwaardigd?'

'Nee, waarom? Ik zie bij god niet wat er over deze regio te informeren valt maar het klinkt prachtig. Papa was het er vast mee eens geweest. *Communicare!*'

'En als ik je zeg dat ik maar net gedaan heb alsof ik van je hield?' zei hij en pakte haar nogal stevig bij haar arm. 'Kan dat je ook niets schelen?'

'O Marius,' verzuchtte ze. 'Waarom altijd die twijfels? Die behoefte alles tot in de kleinste hoekjes in kaart te brengen? Liefde is vrij...'

'Ja, ja, ik weet het: liefde is vrij, is een gift die niet af te dwingen valt, zoals je vader predikte. Amen.'

Ze bevrijdde zich uit zijn greep maar bleef tegen hem aan geleund zitten. 'Ken je de mythe van Orpheus en Eurydice?' vroeg ze.

'Probeer je van onderwerp te veranderen?'

'Nee, ik heb toch gezegd dat ik teken waar je maar wilt.'

'En wat ga jij dan doen?'

'Ik weet nog niet. Er is nog genoeg tijd. Bovendien laat ik alles zoals het is.'

'Ik was tijdelijk, nietwaar? Van geen belang,' zei hij bitter. 'En ga me nou niet zeggen dat alles tijdelijk is. Alles stroomt en niets blijft. Dat weten we nu wel!'

Toen ze niets terugzei en zwijgend naast hem bleef zitten, gaf hij ten slotte antwoord op haar vraag over Orpheus. 'Ik ken de opera van Monteverdi. Maar ik zie niet wat het met ons gesprek te maken heeft.'

'We hadden het toch over keuzes maken? Daar gaat die mythe over.'

'Ma che odo? Ohimè lasso!' begon hij luid te zingen. 'En vervolgens wanneer hij omkijkt, zegt Eurydice: "O dolcissimi lumi io pur vi veggio." En dan moet ze voor altijd terug naar de onderwereld.'

Julia dacht even na. 'Je zou ook kunnen zeggen dat door om te kijken Orpheus haar helpt de dood te aanvaarden,' zei ze na een tijdje.

'Zo denkt hij er anders niet over.'

'Waarom kijkt hij dan om, denk je?'

'Omdat hij een vreemd geluid hoort en zich ongerust maakt.'

'Nee, omdat hij niet de moed heeft te kiezen tussen het vertrouwde – zijn ambitie, zijn ijdelheid, zijn muziek – en het onbekende,' zei ze zacht.

'Het is onmogelijk voor het onbekende te kiezen,' antwoordde Marius nors.

'Je kunt je voor het onbekende openstellen, zodat het niet meer onbekend is.'

'En dan?' Hij pakte haar hand, volgde de sierlijke lijn van haar vingers. 'Dan zijn Orpheus en Eurydice zeker toch bij elkaar?' vroeg hij spottend

'Misschien, misschien ook niet. Het doet er niet toe...'

'Maar dat is waar het verhaal om gaat.'

Ze kwam overeind, schoof een eindje van hem af. 'Nee, het verhaal gaat over iets anders, zoals ik al zei. Het gaat over keuzes maken. Zoals zo vaak in de Griekse mythologie. Op de kruising van wegen, op de plaats waar de god Hermes werd aangeroepen, moet je een keuze maken die grote gevolgen voor je leven heeft...'

Hij trok haar in zijn armen en drukte een kus op haar voorhoofd. 'Ik ben te dom voor die dingen, Julia. Zie dat nou eens in. Ik ben een gewone jongen uit Vreeswijk, het neefje van Ger Thijssen. Ik ben een charlatan, een leugenaar, een zielepoot die aan depressies en angstaanvallen leidt en agressief is bovendien.'

Even hief ze haar hoofd op, mat de oprechtheid van zijn woorden en sprak vervolgens zacht: 'Onzin. Je bent net zomin een charlatan als Orpheus alleen ambitie en ijdelheid was.'

Midden in de nacht zochten ze de warmte van elkaars lichaam op. Als dieren die geborgenheid zoeken. Niet uit liefde, maar uit instinct kropen ze tegen elkaar aan. Het was alsof Julia zich wilde laven aan zijn vitaliteit, wilde drinken van zijn lippen. Haar koude voeten tegen zijn benen, haar smalle heupen tegen zijn buik, haar lippen in zijn hals. Liefdesdienst Kruger, zei hij tegen zichzelf. De laatste keer. Mechanisch begon hij haar te strelen. Zo smal, zo breekbaar was ze onder zijn krachtige vingers. Als van glas. Als van porselein. De krakende stof van haar jurk onder zijn handen? Haar borsten? Haar buik? Nee, dat beeld deed hem niets meer. De herinnering aan hun eerste liefdesnacht? Voor het haardvuur? Ook niet. De keer dat ze op het bordes voor het huis met elkaar gevreeën hadden? Nee. Geen lust vanavond. Haar warmen met zijn lichaam, haar de kracht geven die ze nodig had, dacht hij terwijl hij haar zoende. Liefde is een gift. Een smaak van aarde en ijzer. Hij trok het laken weg en keek in het schemerduister naar haar vormen. Hij spreidde haar dunne benen, aaide vluchtig met zijn vinger langs de binnenkant van haar vochtige dij.

'Nu?' vroeg hij.

'Ja,' antwoordde ze nauwelijks verstaanbaar.

Voorzichtig ging hij boven op haar liggen en leidde zijn stijve geslacht bij haar naar binnen. Bijna zonder te bewegen. Zonder te forceren. Op het ritme van een kabbelende branding. Heel zacht, heel behoedzaam, dieper, steeds dieper in haar schede. Maar toen ze na een tijdje haar grote glinsterende ogen opende, kon hij zich niet langer bedwingen. Nee, niet die vreselijke blik! Niet die twee zwarte gaten die door hem heen keken. Zonder emotie. Afwezig. In zichzelf gekeerd. Hardhandig en vol ongeduld begon hij nu in haar te stoten. Dicht moeten die ogen, zei hij tegen zichzelf. Niet meer kijken. Niet meer priemen. Hem eindelijk met rust laten.

'Verdomme, verdomme. Wat zie je dan, hè?' zei hij schor. 'Zie je mij? Zie je me eindelijk?' Hij greep haar steviger vast, zijn handen om haar schouders, om haar hals. 'Zie je me?' siste hij. 'Zie je eindelijk hoe ik ben? Hoe ik echt ben? Een dief, een leugenaar, een mislukkeling?' Steeds steviger trok hij haar naar zich toe, steeds vaster.

Even schudde ze wild met haar hoofd. Donkere slierten haar, als krioelende slangen op het witte kussen, een macabere stralenkrans rond haar bleke gezicht. Toen hij ten slotte vloekend klaarkwam bewogen ze beiden niet meer.

HOOFDSTUK 12

Joep stond voor de voordeur. Marius had hem al op zijn fiets zien komen aanrijden. Het hoofd gebogen tegen de wind, een geel oliepak aan tegen de regen. Snel had hij de oude luxaflex in de keuken laten zakken en nu bespiedde hij zijn vriend vanachter de vitrage in de zitkamer. Joeps brillenglazen waren beslagen, zijn dunne haar zat geplakt op zijn hoofd. Hij bleef even stil op het bordes staan, trok de rits van zijn jas open en klopte vervolgens op de deur.

'Hallo?' riep hij. 'Hallo? Ik ben het, Joep Beekman… de vriend van Marius.' Steeds harder bonkte hij. 'Hallo? Is daar iemand? Hallo? Marius? Marius?' Plotseling hield hij op en draaide zich om. 'Verdomme,' hoorde Marius hem vloeken. 'Ook dat nog!' Joep ritste zijn jas weer dicht, zette zijn kraag op en rende terug naar zijn fiets. Voordat hij wegreed bleef hij nog even in de stromende regen naar het huis staan kijken. Marius draaide zich om, leegde in één teug zijn whiskyglas en stookte grinnikend het vuur op.

Hij had toch een hond moeten nemen, dacht hij toen hij niet in slaap kon komen. Desnoods die met het vlekje. Daar had hij dan tegen kunnen praten nu het zo stil op Oude Stein was geworden. Een hond is een vriend voor het leven, had in dat idiote boekje gestaan dat Joep hem als remedie tegen zijn hondenangst had laten lezen. Je informeren en vervolgens het hoofd bieden aan de werkelijkheid; zo kom je van je angsten af. Canis. Canidae. Meer dan 340 rassen en de draagtijd van een teef bedraagt zo'n... Het roepen van een uil in het bos deed hem geschrokken overeind vliegen. Joep Beekman? Nee, natuurlijk niet. Niet midden in de nacht. Hij keek vanuit het bed hoe de lichten van de snelweg grillig tegen de muur van het portiershuisje weerkaatsten. Vreemde gestalten die op dansende poppen leken. Verspringende figuren, een duizelingwekkend schouwspel. Als de reflectie van geslepen edelstenen. Zonder te kijken greep hij naar de fles bourgogne naast zich en zette hem aan zijn mond. Een straaltje sijpelde langs zijn ongeschoren gezicht, druppels op zijn behaarde borstkas, donkere vlekken op het beddengoed. 'Kruger!' riep hij met verdraaide stem tegen zichzelf. 'Kijk nou wat je doet! Je bent een smeerlap, een viespeuk... Je bent een misdadiger.'

'Ik ben geen misdadiger,' antwoordde hij.

'Jawel. En een leugenaar,' vervolgde de stem.

'Ach, alleen die ketting. En misschien een paar kleine leugens tegen Julia. Verder niets.'

'Hahahaha!' lachte de stem spottend.

Marius veegde zijn mond af, liet de fles naast zich op de grond vallen en sprong het bed uit. 'Klootzak,' mompelde hij. 'Je zoekt het maar verder uit. Ik ga in een andere kamer slapen. Met de hond.' Maar het bulderende gelach bleef in zijn oren klinken. In de badkamer, in de slaapkamer van mevrouw Boyer, welke deur hij ook opende. Hahahaha!

'Julia?' riep hij naar beneden. 'Er is een indringer.' Er kwam geen antwoord. 'Julia?' riep hij opnieuw. 'Juliaaaa!' Misschien was ze in haar atelier. Hij liep in zijn onderbroek de trap af en bleef voor de openstaande deur van de orangerie staan. Donker. Alles was donker. Wat had ze ook al weer gezegd? Je voor het onbekende openstellen. Nee, onzin. Dat had meneer Boyer gezegd. Of Joep.

'Julia?' fluisterde hij zacht. Hij liep terug naar de gang, zijn blote voeten op het koude marmer. 'Heb je je verstopt? Zoals vroeger in de hooischuur?' Hij luisterde of hij iets hoorde. Alleen het geronk van een auto. En daarna niets. Zo onheilspellend en overweldigend was opeens de stilte om hem heen dat hij als versteend bleef staan. Waar was ze nou, vroeg hij zich af. Was ze weggegaan? Had hij haar verloren? Weer eens niet goed opgelet, Kruger! Hij probeerde zich zo goed als hij kon te herinneren wat er ook al weer gebeurd was. Hij had het beeld met een bijl kapotgeslagen. Ja, dat wist hij nog. Maar haar had hij niet geraakt. Nee. Of wel? Of wel? Op slag brak het klamme zweet hem uit. De achtbaan, de jojo. Op hol geslagen, dolzinnig razend door zijn binnenste. 'Juliaaa,' brulde hij. 'Juliaaa!' Zenuwachtig rende hij van de ene kamer naar de andere, gooide kastdeuren open, keek onder de sofa, achter de luiken. En steeds weer riep hij haar naam, luider en luider, totdat hij ten slotte voor het donkere gat naar de wijnkelder bleef staan. Maar ze had hem toch de sleutels gegeven voordat ze vertrok?

'Dag lieve Marius...' En een vluchtige zoen. Met haar keurige tweed jasje aan en twee elegante lederen koffers op de achterbank van haar auto. Naar Italië. Terug naar Italië. Wat was hij toch stom! Hoe had hij het kunnen vergeten? Hij floot de hond, pakte een nieuwe fles uit de keuken en liep hoofdschuddend terug naar de slaapkamer. Stom, stom, stom.

Weer die opdringerige Beekman aan de deur! En nog samen met twee grote kerels met leren jasjes aan ook. Waar haalden ze het lef vandaan. Zomaar binnendringen op zijn landgoed. Marius lag op de vloer van de zitkamer en probeerde te horen wat ze zeiden. Joep bonkte op de deur.

'Er is niemand,' hoorde hij een van de kerels zeggen.

'Maar zijn auto staat er.'

'Dat zegt niets.'

'Marius? Marius?' riep Joep door de brievenbus. 'Doe open en laat ons naar binnen!'

'Doe open en laat ons naar binnen,' imiteerde Marius hem. Het tapijt kriebelde op zijn blote huid, hij trok het berenvel voor de haard weg en wikkelde zich erin.

'Misschien is er ergens een deur of een raam open,' zei Joep met een zucht.

'Dat is huisvredebreuk, meneer. Daar wagen we ons niet aan.'

'Verdomme!'

Marius schoot in de lach. Wat was het toch grappig wanneer dokter Beekman zich opwond. Dan kreeg hij een rode neus en knipperde zenuwachtig met zijn ogen. Verdomme! Verdomme!

'Wat doen we dan?'

'Verzegelen, zoals voorzien.'

Er klonk geritsel aan de voordeur, een aantal harde klappen en daarna was het stil.

'Verzegelen jullie mij maar,' schaterde Marius. 'Ik zit hier gebakken en verroer me niet.' Hij luisterde nog even of hij iets hoorde maar ze waren kennelijk weggegaan. Zwaar en behaaglijk was het bontvel, zo warm dat hij er loom en slaperig van werd. Naast het raam viel hij in een diepe slaap.

Julia Boyer van Oude Stein. Wie weet, misschien was ze helemaal niet naar Italië, maar was ze teruggegaan naar de planeet waar ze vandaan kwam. Zoals de katten. Spontaneous combustion, zoals ze gezegd had. Hij zag die stralende glimlach van haar. Mooi, zo onbeschrijfelijk mooi kon ze zijn. Maar nu voelde hij zich niet meer machteloos. Die laatste nacht hadden ze een stilzwijgend pact gesloten en sindsdien wist hij dat hij deel geworden was van haar geschiedenis. Ze had hem nodig gehad. Niet alleen om zich aan zijn lichaam te warmen, niet alleen om het leven van zijn mond te drinken, maar omdat ze 'het zonder hem nooit had gekund'. Wat ze daarmee precies bedoeld had wist hij niet goed meer, maar ze had het in ieder geval gezegd. Ach, de verklaring deed er ook niet toe. Niet meer analyseren, niet alles in kaart willen brengen. Geen legpuzzels meer, niet opruimen. De dingen laten. Slapen, drinken, dromen. Voor het eerst in zijn leven leefde hij met een onopgelost raadsel. Een stil en gesloten besef dat zich in zijn borst genesteld had. Een kleine schatkist waarvan hij de inhoud weliswaar vermoedde maar niet doorgronden kon.

Hij deed het bontvel niet meer af. Met een lang gordijnkoord bond hij het strak om zijn lichaam. Verzegeld met de talisman van het onderbewuste, zei hij tegen zichzelf. Beter dan een hond. In het begin moest hij eraan wennen, kriebelde de berenvacht in zijn baard, werd hij in zijn bewegingen belemmerd, maar na een paar dagen leek het vel soepeler te zijn geworden en merkte hij niet eens meer dat hij het om had. 'Op de beer van Oude Stein,' riep hij wanneer hij gezeten voor het vuur een nieuwe fles openmaakte. 'En dat ie zich nog lang te pletter mag zuipen!'

Op een ochtend werd hij op de vloer van de salon wakker en zonder zijn ogen nog echt te openen voelde hij dat er iets veranderd was. Hoorde hij iets? Nee, het was het licht. Een merkwaardige helle gloed scheen door de kieren van de gordijnen naar binnen. Alsof de wereld om hem heen plotseling heel licht en helder geworden was. Transparant als glas, glad als een gepolijst oppervlak. Het heeft gesneeuwd, zei hij tegen zichzelf. Winter op Oude Stein. Maar welke maand was het dan? Welke dag? Hij kroop naar het raam en trok het gordijn open. Wit, verblindend wit. De tuin, de velden in de richting van Nieuwe Stein. En bij de ingang van het hek een aantal bulldozers met een tiental mannen met groene werkmanspakken aan druk in de weer een greppel te graven.

Onmiddellijk trok hij de gordijnen weer dicht en begon driftig de haard op te stoken. Het is te koud hier, mompelde hij. De beer van Oude Stein heeft het koud. Hij gooide een groot blok op het vuur, en nog een, en nog een. Net zoveel tot het vuur luid knapperde en vonkte en alle geluiden van buiten verstomde.

Hij was te onrustig om in de salon te blijven. Om de paar minuten rende hij naar de keuken om te zien wat er in de tuin gebeurde. Handenwrijvend drentelde hij voor het raam heen en weer. Schimmen. Vreemde figuren die op dansende poppen leken. Een duizelingwekkend schouwspel in de sneeuw. Nog een slokje whisky dan maar. 'Want als je drinkt, als je weer

drinkt en als je nog meer drinkt totdat je erbij neervalt, dan raak je voor altijd bevrijd.' Hij zette de fles
net zo lang aan zijn mond tot hij bijna leeg was. Het
laatste bodempje leegde hij in de gootsteen. Zo, hij
voelde zich al beter. Warmer. Rustiger. Een loom ge-
tintel in zijn aderen. Alles stroomt misschien, maar
hij was gelukkig verzegeld. Door Beekman. Die drukte ten slotte overal zijn stempel op. Giechelend sleepte hij zich de trap op, maakte een paar zwierige dans-
passen in de gang, maar gleed uit over het Perzische
tapijtje. Met een klap stootte hij zijn hoofd tegen de
muur. Verdomme! Verdomme! Hij was te duizelig
om op te staan.

De grond trilde. Geen onprettige sensatie. Brrrrrr.
Brrrrr. Als een zacht geknor. Maar toen hij zijn ogen
wilde openen deed een felle pijn aan zijn linker slaap
hem ineenkrimpen. Voorzichtig betastte hij zijn
hoofd. Bloed. Het vehikel van de ziel, zoals Boyer eens
gezegd had. Hij bestudeerde tussen zijn oogharen
door zijn bevlekte hand. 'Je hebt een flink gat in je
kop, Marius,' mompelde hij en probeerde overeind te
komen. Zwalkend liep hij door de gang en bleef bij de
trapleuning staan. De pijn en het bloed belemmerden
hem het zicht. 'Julia?' riep hij op klaaglijke toon. 'Er is
een indringer.' Toen er geen antwoord kwam liet hij
zich trede voor trede langs de leuning naar beneden
glijden.
     'Hé, jij daar!' riep iemand niet ver van de voordeur.

Als aan de grond genageld bleef Marius staan. Meneer Boyer. De stem van meneer Boyer.

'Heb je aan de stenen gedacht?' klonk de stem weer. Kreunend sleepte hij zich naar de voordeur en controleerde de grendel. Alles op slot. Geen paniek. Zenuwachtig plukte hij het opgedroogde bloed van zijn bontvel af en ijsbeerde door de gang. Boyer had het op een akkoordje met Beekman gegooid en dirigeerde nu zelf de werkzaamheden. Hoe had hij zo dom kunnen zijn dat niet eerder in te zien. Ze hadden hem een smerige loer gedraaid. Boyer, Julia, Beekman. Om hem te straffen, om hem klein te krijgen.

'Nee, naar links, naar links,' klonk de stem van Boyer weer.

Marius sloeg zijn handen voor zijn gezicht. Dienen, keuzes maken, je openstellen, dreunde het door zijn hoofd. Hij moest de lege wijnkratten verbergen, vlug zijn sporen uitwissen. Half verblind door de pijn sleepte hij alle wijnkistjes uit de keuken naar de zitkamer en gooide ze in de haard. Maar het vuur smeulde slechts en vatte geen vlam. Kranten. Een lucifer. Spiritus. Hij rende naar Julia's atelier en trok de kasten open. De fles spiritus waarmee ze altijd haar kachel had aangemaakt, stond op de onderste plank. Toen hij hem beetpakte viel er iets rinkelend voor zijn voeten. Flonkelende diamanten. Het collier. Marius aarzelde, bukte zich ten slotte en raapte de glinsterende ketting van de vloer.

'Marius, is het mogelijk dat je per ongeluk iets hebt

weggenomen wat mij toebehoort?' had meneer Boyer gevraagd. Opeens, zonder inleiding, in de gang naast de keuken. Alsof hij naar de krant vroeg of informeerde naar de weersvooruitzichten. Marius stond met zijn mond vol tanden. De ronde stenen van het collier brandden in zijn broekzak. 'Wat?' vroeg hij hees. 'Wat?'

'Een erfstuk dat me bijzonder dierbaar is en waarin onder andere de woorden: "Het is waar zonder leugen" in het Grieks gegraveerd staan.'

'Nee meneer Boyer,' viel Marius hem resoluut in de rede. 'Ik heb niets weggenomen.'

Toen hij later die middag, nadat hij het collier teruggelegd had in de linnenkast op de eerste verdieping, afscheid van meneer Boyer nam, schudde deze hem krachtig de hand.

'Tot ziens, Marius,' zei hij. Nadrukkelijk, afgemeten, definitief. Dat was de laatste keer dat Marius op Oude Stein kwam.

Zonder nog aan de spiritus te denken slenterde Marius in gedachten verzonken terug naar de salon. Ondertussen streelde hij de smaragden en diamanten, volgde de inscripties met zijn vingertoppen. Vanuit de hal zag hij een rode gloed uit de salon komen. De kistjes hadden vlamgevat. Voorzichtig legde hij het collier om zijn nek, zocht op de tast naar de sluiting. Het gewicht van de koude stenen op zijn huid deed zijn adem stokken. Alsof de diamanten sterren hem schroeiden, alsof de inscripties hem schaafden. Maar het was tegelijkertijd een pijnlijke en prettige sensatie. Het gaf hem een gevoel van luciditeit, van kalmte zoals hij lang niet ervaren had.

'Opgepast! Een, twee...' hoorde hij Boyer bij het keukenraam zeggen. En toen: 'Kruger, Kruger? Verdomme kerel! Het staat hier blauw van de rook!'

'Ik ben hier,' antwoordde Marius en ging precies op dezelfde plaats staan waar Boyer hem destijds had ondervraagd.

Boyer verscheen in de deuropening van de keuken. Keurig in pak als altijd, maar met een gele werkmanshelm op. 'Zeg, Kruger,' begon hij. 'Is het mogelijk dat...'

Marius viel hem onmiddellijk in de rede. 'Niet alleen mogelijk, meneer Boyer, maar zelfs waar zonder leugen. Ik heb de verleiding van uw erfstuk niet kunnen weerstaan.'

Boyer trok hem vriendschappelijk bij zijn arm mee naar de salon. 'Dat verbaast me niets,' zei hij. 'Je hebt altijd een goede smaak gehad.'

'Wat is het?' vroeg Marius.

'Een symbool, een talisman.'

'Symbool van wat, meneer Boyer?'

'Openbaring, initiatie. Het begin en einde van alles.'

Marius bleef staan. 'O, maar het is voor mij te laat!'

'Te laat?' Meneer Boyer begon te lachen. Vertederd, ontroerd. 'Waarom te laat, beste Marius?'

'Omdat ik...' Maar hij kon zijn zin niet afmaken. Zijn gedachten haperden, zijn woorden vervlogen, klinkers bleven steken in zijn keel. Alsof een geheimzinnige kracht hem tot stilte maande en gebood een nieuwe, tot nu toe slechts vermoede melodie te zingen. Een andere toon, een nog niet aangeslagen klank. Nee, natuurlijk is het niet te laat, schoot door hem heen. De wereld is altijd in beweging, ik ben altijd in beweging. Openbaring. Initiatie. Het begin en het einde van alles. Met een tevreden glimlach opende hij de voordeur en bleef verblind door het schelle licht op de drempel staan.